ERIC MARTEL

LE CODE GRAMMATICAL

Jacques David

On peut se procurer aux mêmes éditions un test portant sur chacun des chapitres de cette grammaire.

TOUTE COMMANDE DOIT ÊTRE ADRESSÉE À:
Éditions de l'Étoile polaire
Case postale 53
Succursale LaSalle
H8R 3T7

Maquette de la couverture: Clare Taylor
Typographie: Nowack & McIntosh Design

Dépôt légal - 3e trimestre 1987
Bibliothèque nationale du Québec
Bibliothèque nationale du Canada
ISBN 2-89131-005-5

AVANT-PROPOS

La première partie de ce volume comprend la description des éléments de la phrase et les règles qui régissent la construction des phrases simples et des phrases complexes.

La deuxième partie comprend la grammaire normative. À l'aide de l'index et de la table des matières, l'élève pourra facilement consulter sa grammaire pour écrire des textes correctement.

Nous avons eu recours à une présentation claire. Chacune des règles présentées est illustrée par un exemple. La règle est mise en relief. Au bas des pages, il y a des exercices d'autocorrection. La maîtrise d'une règle se vérifie par la capacité d'en faire l'application. Mais il est bien évident que cette grammaire n'est pas un cahier d'exercices.

Cette grammaire est conforme au programme de français. On peut se procurer aux mêmes éditions la répartition du contenu grammatical pour chaque niveau du cours secondaire.

Une règle n'est jamais apprise pour toujours. C'est en consultant régulièrement sa grammaire lorsqu'il fera des productions écrites, que l'élève maîtrisera sa langue maternelle. En conservant cette grammaire durant tout son cours, l'élève acquerra l'habitude d'écrire des textes correctement.

Nous remercions Hélène Hébert, linguiste et enseignante à la C.S. Sault-Saint-Louis pour sa précieuse collaboration.

TABLE DES MATIÈRES
PREMIÈRE PARTIE
GRAMMAIRE DESCRIPTIVE

A. LA PHRASE SIMPLE

I - LA NATURE DES MOTS

II - LES FONCTIONS DES MOTS

B. LA PHRASE COMPLEXE

C. LE VERBE

I - LES MODES ET LES TEMPS

II - L'ASPECT ET LA CONCORDANCE

DEUXIÈME PARTIE
GRAMMAIRE NORMATIVE

A. LE VERBE

I - L'ACCORD DU VERBE AVEC SON SUJET

D. LA PONCTUATION

E. SYNTAXE PARTICULIÈRE

ANNEXE

LA PHONÉTIQUE

Première partie

GRAMMAIRE DESCRIPTIVE

LA PHRASE SIMPLE

LA PHRASE COMPLEXE

LE VERBE

A. LA PHRASE SIMPLE

I. LA NATURE DES MOTS

1. Structure de la phrase simple

La langue est un code servant à la communication pour un groupe d'individus donnés.

La phrase est l'unité supérieure de la langue. La phrase est composée d'un ensemble de mots; la place que chacun occupe dans la phrase détermine leur nature.

1. La phrase est **l'unité supérieure de la langue.**

   La neige a paralysé la circulation.

2. La phrase est constituée de deux groupes:

   Le groupe nominal: *la neige*
   Le groupe verbal: *a paralysé la circulation*

3. Le groupe nominal comprend:

   Le déterminant: *la*
   Le nom: *neige*

4. Le groupe verbal comprend:

   Le verbe: *a paralysé*
   Le groupe nominal: *la circulation*

Construisez une phrase avec les mots suivants.

1. Paul le ballon lance
2. de deux groupes la phrase est constituée
3. ils mangent pomme une
4. la Corriveau mère aimé la conduite n'avait pas des soldats

---

2. Le déterminant

La / Cette → neige a paralysé → la / toute la → circulation.

1. Le nom est précédé d'un mot qu'on appelle déterminant. Parfois, il y a un adjectif entre le déterminant et le nom.

   De (beaux) enfants chantent.

   Il faut choisir le déterminant selon le sens que l'on veut donner au groupe nominal.

2. Le déterminant prend la même marque du genre et du nombre que le nom qu'il accompagne.

Trouvez deux déterminants qui pourraient remplacer chacun des déterminants suivants.

Le professeur entra dans *la* classe.

2.1. Liste des déterminants

Il existe trois ensembles de déterminants.

1. **Les déterminants qui peuvent suffire à déterminer:**

   Aucun, ce, chaque, du, des, le, mon, n'importe quel, plusieurs, un

2. **Les déterminants occasionnels:**

   Ce sont des enfants différents.

   Ici, **différents** est adjectif.

   Divers, différent, deux, quelque, certain, nul, maint

3. **Les déterminants associés à d'autres déterminants:**

   *J'ai revu les **mêmes** enfants.*

   Tout, tel, certain, autre, même

Faites accorder les déterminants en italique.

1. *Aucun* femme ne travaille dans cette compagnie.
2. *Chaque* femme aura un emploi.
3. *Ce* hommes sont en chômage.
4. *Ce* rue est achalandée.
5. *Tout mon* voisins sont chaleureux.

2.2. L'emploi des déterminants

1. Les déterminants **le, ce, mon** sont employés pour désigner ce qui est **connu.**

L'homme est venu à la maison.

Dans cet exemple, *l'homme* désigne un individu qui est connu.

2. Le déterminant **un** est employé pour désigner ce qui est **inconnu.**

Un homme est entré dans la maison.

Dans cet exemple, *un homme* désigne un individu qui est inconnu.

3. **Chaque** désigne un seul élément d'un ensemble donné.

4. **Différent** désigne des éléments qui s'opposent.

5. **Même** exprime la ressemblance.

6. Les autres déterminants sont des quantifiants; ils expriment une quantité plus ou moins grande: **un, quelques, plusieurs**, etc. .

- Devant un nom féminin singulier commençant par une voyelle, le déterminant *mon* s'écrit au masculin pour éviter la rencontre de deux voyelles. ***Mon** armoire.*

*Le premier jour de classe, on vit arriver **un** professeur tenant une serviette noire. Le lendemain, **ce** professeur entra dans la classe avec cette serviette.*

7. **CE:** Le déterminant **ce** est employé pour désigner un élément qui a déjà été mentionné auparavant dans le texte. Dans la première phrase, l'auteur emploie le déterminant *un* devant le nom *professeur* parce que ce dernier est inconnu des élèves. Dans la deuxième phrase, il emploie le déterminant *ce* parce que c'est la deuxième fois dans le texte que le mot *professeur* revient.

8. **UN:** Le déterminant **un** saisit la quantité comme une unité.

*J'ai **un** revenu stable.*
*J'ai **une** collection de timbres.*

9. **DU:** Le déterminant **du** désigne un ensemble qui ne se laisse pas dénombrer; donc, **du** ne peut pas prendre la marque du pluriel.

*Je mange **du** pain.*
*Donne-moi **du** lait.*

- A la forme négative, on écrit: *Je ne mange pas **de** pain.*

10. **DES:** a) **Des** désigne plusieurs éléments d'un ensemble.
b) **Des** peut être le pluriel de: un, une.
Des arbres ont été abattus.

11. **DE:** **De** peut être le pluriel de: un, une.
***De** beaux enfants jouent.*
***Des** beaux enfants jouent.*

12. **AU:** *Au* est à la fois une préposition et un déterminant.
*Je mange **aux** (dans les) champs.*

13. **LES:** Le déterminant **les** exprime une grande extension.
***Les** hommes sont mortels.* (tous les hommes)

14. **DES:** Le déterminant **des** exprime une restriction.
***Des** hommes mourront demain.* (quelques hommes)

Ne pas confondre:

Des: déterminant
Des *personnes sont venues.*

Des: préposition + déterminant
*C'est la terre **des** (de mes) voisins.*

2.3. On peut aussi classer les déterminants selon les catégories suivantes:

1. **Articles**

Le, la, les, un, une, des, du, de la, aux

2. **Adjectifs possessifs**

Mon, ton, son, notre, votre, leur,
Ma, ta, sa, notre, votre, leur,
Mes, tes, ses, nos, vos, leurs

3. **Adjectifs démonstratifs**

Ce, cet, cette, ces

Ce tableau est noir.
Cette orange est bonne.

Devant une voyelle ou un h muet, on écrit **cet** (**cette** au féminin singulier).

4. **Adjectifs indéfinis**

Aucun, aucune
Autre
Certain, certaine, certains, certaines
Chaque
Différent, différente, différents, différentes
Divers, diverses
Maint, mainte, maints, maintes
Même, mêmes
N'importe quel (quelle, quels, quelles)
Nul, nulle
Plusieurs
Quelque, quelques
Tel, telle, tels, telles
Tout, toute, tous, toutes

5. Adjectifs interrogatifs

Quel, quelle, quels, quelles

6. Adjectifs numéraux

a) **Les adjectifs numéraux qui désignent les nombres sont:**

Un, deux, trois, etc.

b) **Les adjectifs numéraux qui désignent le rang sont:**

Premier, deuxième, troisième, etc.

3. Le nom

1. Le nom confère au groupe nominal la marque du genre et du nombre.

La (fém. sing.) ***neige*** *(fém. sing.) tombe lentement.*

2. Le groupe nominal confère au verbe la marque du nombre.

La neige *(sing.) tombe (sing.) lentement.*
Les étoiles *(plur.) brillent (plur.).*

3. Les noms propres ne sont pas précédés d'un déterminant.

Paul *lance la balle.*
Je demeure à ***Paris****.*

4. ***Ce groupe*** *d'élèves est studieux.*

Groupe est un nom collectif singulier.
Le verbe s'écrira donc au singulier.

Faites accorder les mots en italique.

1. *Le* accidents *mortel* sont nombreux sur *le* routes au Québec.
2. Le reste des pommes *être* (fut. simple) *donné au* pauvres.

---

4. L'adjectif qualificatif

1. L'adjectif accompagne le nom. Il prend le même genre et le même nombre que le nom qu'il accompagne.

*Cette **gentille** (fém. sing.) fille (fém. sing.) est studieuse.*

2. L'adjectif peut être placé avant ou après le nom.

*La **belle** neige **blanche** tombe sur nos grands bois.*

3. Parfois, il peut y avoir deux adjectifs qualificatifs consécutifs qui précèdent le nom.

*Ce **merveilleux petit** jouet amusera les enfants.*

4. Degrés des adjectifs

L'adjectif qualificatif peut qualifier le nom à des degrés différents.

a) **Le comparatif**

- Le comparatif d'infériorité
  *Il est **moins** riche **que** Paul.*

- Le comparatif d'égalité
  *Il est **aussi** intelligent **que** son frère.*

- Le comparatif de supériorité
  *Elle est **plus** grande **que** son père.*

b) **Le superlatif**

- Le superlatif d'infériorité
  *Elle est **la moins** rapide.*

- Le superlatif de supériorité
  *Elle est **la plus** travaillante.*

- Le superlatif absolu
  *Il est **très** généreux.*

5. L'adverbe

1. L'adverbe est un mot invariable qui peut accompagner un adjectif; l'adverbe peut donc faire partie du groupe nominal. L'adverbe précède l'adjectif.

*Ce **très** (beau) livre sera apprécié.*

2. L'adverbe peut aussi accompagner le verbe. L'adverbe se place ordinairement après le verbe.

*Il (travaille) **bien**.*

- Lorsque le verbe est à un temps composé, l'adverbe se place entre l'auxiliaire et le participe passé.

*Il a **trop** bu.*

3. L'adverbe peut également accompagner un autre adverbe. Il précède alors l'adverbe qu'il modifie.

*Il travaille **très** (bien).*

4. Parfois, l'adverbe peut être placé au début ou à la fin de la phrase.

***Hier**, il a terminé la lecture de son livre.*

*Il a terminé la lecture de son livre **hier**.*

5.1. Classification des adverbes selon leur sens

a) **Les adverbes de manière**

*Il court **vite**.*

Ainsi, bien, comme, comment, ensemble, gratis, mal, mieux, plutôt, vite, etc.

b) **Les adverbes de quantité**

*Il a **beaucoup** de talent.*

Assez, aussi, beaucoup, combien, comment, fort, guère, moins, peu, plus, presque, tant, tellement, très, trop, etc.

c) **Les adverbes de temps**

*Il partira **demain**.*

Alors, après, auparavant, aussitôt, autrefois, avant, bientôt, déjà, demain, depuis, désormais, dorénavant, encore, enfin, ensuite, etc.

d) **Les adverbes de lieu**

*Allez jouer **ailleurs**.*

Ailleurs, alentour, arrière, autour, avant, çà, ci, contre, dedans, dehors, derrière, dessous, dessus, devant, ici, là, loin, où, outre, partout, près, proche, etc.

e) **Les adverbes d'affirmation**

*Il réussira **certainement**.*

Assurément, aussi, certainement, bien, certes, oui, précisément, si, volontiers, vraiment, soit, etc.

f) **Les adverbes de négation**

*Il **ne** viendra **pas**.*

Aucun, aucunement, guère, jamais, ne....pas, ne....jamais, rien, personne, etc.

5.2. Formation des adverbes en *ment*

a) Les adverbes en *ment* se forment en ajoutant *ment* au féminin des adjectifs.

folle follement

b) Lorsque l'adjectif se termine par une voyelle au masculin, on ajoute *ment* à cet adjectif.

vrai vraiment

c) Les adjectifs en *ant* forment des adverbes en *amment.*

puissant *puissamment*

d) Les adjectifs en *ent* forment des adverbes en *emment.*

prudent prudemment

Relevez les adverbes et donnez leur fonction.

1. La neige tombait lentement.
2. La neige tombait bien lentement.
3. Ce tableau est très beau.
4. Elle a trop mangé.

---

6. Les pronoms

Le pronom est un mot qui remplace le nom.
Il peut avoir la même fonction que le nom.

1. Pronoms relatifs

(Le livre) ***que*** *j'ai lu est intéressant.*

Que est un pronom relatif, il introduit la proposition subordonnée:
que j'ai lu.
Que remplace le nom *livre.*

Le pronom relatif introduit une proposition subordonnée dans une phrase.
Le pronom relatif remplace le nom qui le précède. Il peut aussi remplacer un autre pronom.

(Celui) ***qui*** *travaille réussira.*

Liste des pronoms relatifs

Singulier		*Pluriel*	
Masc.	*Fém.*	*Masc.*	*Fém.*
lequel	laquelle	lesquels	lesquelles
auquel	à laquelle	auxquels	auxquelles
duquel	de laquelle	desquels	desquelles
qui, que, quoi, dont, où			

Les fonctions

a) *Le livre* ***que*** *j'ai lu est intéressant.*
Que est complément d'objet direct du verbe *ai lu.*

b) *La lune* ***qui*** *brille éclaire le lac.*
Qui est sujet du verbe *brille.*

c) *C'est un professeur* ***dont*** *il se souviendra longtemps.*
Dont est complément d'objet indirect de *se souviendra.*

2. Pronoms démonstratifs

*J'aime (ce livre), mais **celui-ci** m'intéresse davantage.*

Celui-ci est un pronom démonstratif, il remplace *ce livre.*

Liste des pronoms démonstratifs

Singulier		*Pluriel*	
Masc.	*Fém.*	*Masc.*	*Fém.*
celui	celle	ceux	celles
celui-ci	celle-ci	ceux-ci	celles-ci
celui-là	celle-là	ceux-là	celles-là
ce, ceci, cela, ça			

Les fonctions

a) ***Celui** qui étudie réussira.*
Celui est sujet du verbe *réussira.*

b) *On admire **celui** qui réussit.*
Celui est complément d'objet direct de *admire.*

3. Pronoms indéfinis

*Nous avons invité tous ses amis, mais **certains** ne viendront pas.*

Certains est un pronom indéfini. Il remplace *amis.*

Liste des pronoms indéfinis

Singulier		*Pluriel*	
Masc.	*Fém.*	*Masc.*	*Fém.*
l'un	l'une	les uns	les unes
quelqu'un	quelqu'une	quelques-uns	quelques-unes
tout		tous	toutes
l'autre	l'autre	les autres	les autres
		certains	certaines
aucun	aucune		
chacun	chacune		
nul	nulle		
pas un	pas une		
plus d'un	plus d'une		
tel	telle		
INVARIABLE:	autrui, d'aucuns, la plupart, n'importe qui (quoi), on, personne, plusieurs, quelque chose, quiconque, rien		

Les fonctions

***Certains** devront partir.*
Certains est le sujet du verbe *devront.*

***Quelles que** soient vos (raisons) vous devez obéir.*

Quelles est attribut et il s'accorde avec le sujet du verbe.
Placé devant le verbe être ou un verbe similaire, *quel que* s'écrit en deux mots.

4. Pronoms possessifs

*J'ai perdu (mon livre). Tu as retrouvé **le tien.***

Le tien est un pronom possessif, il remplace *ton livre.*

Le pronom possessif remplace un groupe nominal (un déterminant et un nom). Il prend le même genre et le même nombre que le nom qu'il remplace.

Liste des pronoms possessifs

	Singulier		*Pluriel*	
	Masc.	*Fém.*	*Masc.*	*Fém.*
1re pers. sing.	le mien	la mienne	les miens	les miennes
2e pers. sing.	le tien	la tienne	les tiens	les tiennes
3e pers. sing.	le sien	la sienne	les siens	les siennes
1re pers. plur.	le nôtre	la nôtre	les nôtres	les nôtres
2e pers. plur.	le vôtre	la vôtre	les vôtres	les vôtres
3e pers. plur.	le leur	la leur	les leurs	les leurs

Les fonctions

*Prends ton crayon et donne-moi **le mien.***
Le mien est complément direct de *donne.*

*Mes skis sont rouges, **les vôtres** sont bleus.*
Les vôtres est sujet de *sont.*

5. Pronoms personnels

Je travaille, tu travailles, il (elle) travaille.

Je est un pronom personnel de la première personne du singulier.
Je représente la personne qui parle.

Tu est un pronom personnel de la 2e personne du singulier. *Tu* désigne la personne à qui l'on parle.

Il et *elle* sont des pronoms personnels de la 3e personne du singulier.
Ces pronoms représentent la personne de qui l'on parle.

Liste des pronoms personnels

<table>
<tr><th></th><th colspan="2">Singulier</th><th colspan="2">Pluriel</th></tr>
<tr><th>Personnes</th><th>Masc.</th><th>Fém.</th><th>Masc.</th><th>Fém.</th></tr>
<tr><td>1re pers.</td><td colspan="2">je
me
moi</td><td colspan="2">nous</td></tr>
<tr><td>2e pers.</td><td colspan="2">tu
te
toi</td><td colspan="2">vous</td></tr>
<tr><td>3e pers.</td><td>il, le</td><td>elle, la</td><td>ils, eux</td><td>elles</td></tr>
<tr><td></td><td colspan="2">lui
soi
se</td><td colspan="2">les
leur
ses</td></tr>
<tr><td colspan="5">en, y</td></tr>
</table>

Les fonctions

a) *Nous jouons à la balle.*
Nous est sujet.

b) *Je **lui** donne une récompense.*
Lui est complément d'objet indirect.

c) *Je **la** reconnais.*
La est un complément direct.

d) *Je **me** blesse.*
Me est un **pronom personnel réfléchi.**
Me est un complément direct.

Remarques.

a) *On* est parfois employé à la place de *il*, *elle* ou *nous*.

***On** ira faire du ski.*
***Nous** irons faire du ski.*

b) Le pronom personnel **en** est neutre.

*Vous m'avez aidé, je m'**en** souviendrai.*
Je me souviendrai de cela (neutre).

c) Le pronom personnel **y** est neutre.

Connaissez-vous cette ville?
*J'**y** suis allé (au sens de là).*

6. Pronoms interrogatifs

***Qui** as-tu vu?*
Qui est un pronom interrogatif.

Liste des pronoms interrogatifs

Singulier		*Pluriel*	
Masc.	*Fém.*	*Masc.*	*Fém.*
Lequel auquel duquel	laquelle à laquelle de laquelle	lesquels auxquels desquels	lesquelles auxquelles desquelles
qui? que? quoi?			

Les fonctions

***Qui** va venir ce soir?*
Qui est sujet.

***Qui** verra-t-on à la danse?*
Qui est complément d'objet direct.

Donnez la nature des pronoms en italique.

1. *Je* travaille.
2. Prends ton crayon et donne-moi *le mien*.
3. Garde ce livre et donne-moi *celui-ci*.
4. Les étudiants *qui* travaillent réussiront.
5. *Que* voulez-vous?
6. *Chacun* fait sa part.

7. Mots de liaison

1. **Prépositions**

*Je travaile **à** Hull.*

La préposition est un mot invariable qui sert à introduire un complément.

Liste des principales prépositions:

à, après, avant, avec, chez, contre, dans, de, depuis, derrière, dès, devant, en, entre, envers, hors, malgré, outre, par, parmi, pour, sans, selon, sous, sur, vers, etc.

2. **Conjonctions de coordination**

Paul	***et***	*Pierre*	*travaillent bien.*

Paul joue	***et***	*Pierre travaille.*

La conjonction de coordination est un mot invariable qui unit des mots de même nature dans une phrase; la conjonction unit également des propositions de même nature.

Liste des principales conjonctions de coordination:

et, ou, ni, mais, car, or, donc, etc.

3. **Conjonctions de subordination**

*Je désire **que** tu réussisses.*

Certaines conjonctions peuvent également introduire des propositions subordonnées.

Liste des principales conjonctions de subordination:

si, comme, quand, que, lorsque, puisque, etc.

Liste des principales locutions conjontives de subordination:

pendant que, afin que, bien que, etc.
(Voir la page: 52, no 8)

4. Ne pas confondre

a) *La porte **de** la maison est rouge.*

b) *La porte **et** la maison sont rouges.*

Dans le premier exemple, est-ce que c'est la porte et la maison qui sont rouges?

Dans le deuxième exemple, est-ce que c'est la porte et la maison qui sont rouges?

a) Dans le premier exemple, le groupe nominal *la maison* complète le groupe nominal *la porte.*

De est une préposition.

b) Dans le deuxième exemple, les deux groupes nominaux occupent la même fonction, alors *et* est une conjonction.

Relevez les prépositions et les conjonctions dans le texte suivant.

1. Je voyage souvent de nuit.
2. Je préfère que tu partes demain.
3. Je reprendrai ce travail puisque vous l'exigez.
4. Les élèves de notre polyvalente ont bien réussi leurs examens.
5. Il était généreux quoiqu'il fût économe.

---

5. Marqueurs de relation

Pour faire ressortir la structure d'un texte, on a recours à des marqueurs de relation.

Les principaux marqueurs de relation sont: **les adverbes, les conjonctions de coordination** et les **conjonctions de subordination.**

5.1. Les **marqueurs de relation** indiquent les différentes relations que les éléments du discours entretiennent entre eux:

a) **l'addition**

*Il a une maison **et** il désire s'acheter un chalet.*

Et, encore, en, outre, de plus, etc.

b) **la cause**

*Il étudie, **car** il veut réussir.*

Car, puisque, comme, etc.

c) **la conséquence**

*Je pense **donc** j'existe.*

Donc, ainsi, par conséquent, alors, c'est pourquoi, etc.

d) **la négation**

*La roue ne cessait pas de tourner **ni** les coups de pleuvoir.* (HUGO, *Notre-Dame de Paris*, V1, 4.)

e) **l'opposition**

J'aime sa franchise, ***mais*** *je déteste sa grossièreté.*

Mais, toutefois, cependant, néanmoins, pourtant, seulement, or, etc.

f) **l'ordre des éléments**

Enfin*, il faut dire que les résultats de l'enquête sont satisfaisants.*

enfin, puis, etc.

5.2. **Certains marqueurs de relation indiquent l'ordre des idées ou des arguments d'un discours:**

a) **Pour amorcer l'argumentation**

Premièrement*, nous verrons quels sont les méfaits de la cigarette.*

Premièrement, en premier lieu, à première vue, d'une part, d'abord, avant tout, etc.

b) **Pour continuer l'argumentation**

Ensuite*, nous analyserons les inconvénients de la cigarette.*

Ensuite, deuxièmement, en second lieu, troisièmement, d'autre part, par ailleurs, etc.

c) **Pour conclure l'argumentation**

Pour conclure*, nous pouvons affirmer que la cigarette est néfaste à la santé.*

Donc, cela dit, pour conclure, enfin, finalement, en somme, en définitive, etc.

8. Interjection

L'interjection est un petit mot qui exprime une émotion forte: la joie, la colère, la surprise, etc..

***Ah!** vous parlez encore!*
***Aïe!** vous me faites mal!*

Liste des principales interjections

Adieu!	Bravo!	Ha!	Là!
Ah!	Ça!	Hé!	Ô!
Aïe!	Chut!	Ho!	Oh!
Allo!	Eh!	Hum!	Ouf!

Allo est une adaption anglaise de *halloo.*

Liste des principales locutions interjectives

Ah! ça!	Ma foi!
Eh bien!	Mon Dieu!
Grand Dieu!	Par exemple!
Juste ciel!	Quoi donc!

9. Liste des mots pouvant être utilisés dans une phrase.

La phrase est constituée de différents mots; la place que chaque mot occupe dans la phrase détermine la nature de chacun.

Dét.	nom	adjectif	verbe	adverbe	dét.	nom
Le	*soleil*	*ardent*	*réchauffe*	*graduellement*	*le*	*sol.*

Liste possible des mots d'une phrase

Le déterminant
Le nom
L'adjectif qualificatif
Le pronom
L'adverbe
Le verbe
La préposition
La conjonction
L'interjection

- On appelle locution, un groupe de mots qui exprime une idée.

Je ne veux pas. - **ne...pas** est une locution adverbiale de négation.

Donnez la nature des mots en italique.

Je n'ai pas *détruit mon* fils et tu n'as pas détruit ton frère.
Une parole *légère* ne tue pas quelqu'un *comme* ce garçon...
Et même si tu avais raison, Robert, ce *n'*est *pas* en m'accusant comme tu le fais *et* en t'accusant *toi-même* que tu ramèneras *ton* frère *à* la maison.
Fièvre, p. 70

II Les fonctions des mots

1. Le sujet

***Les enfants** (plur.) jouent (3e pers. plur.) au ballon.*

Le groupe nominal *les enfants* est le sujet du verbe *jouent.*

1. Le groupe sujet confère au verbe la marque du nombre et de la personne.

- Pour reconnaître le sujet on pose la question qui est-ce qui? devant le verbe.

Qui est-ce qui jouent au ballon?
Ce sont les enfants.
On pose la question qu'est-ce qui? pour les animaux ou pour les choses.

2. Le sujet peut être un pronom.

***Je** joue.*
***Nous** jouons.*
***Vous qui** travaillez réussirez.*

Qui remplace vous, *qui* est donc un pronom de la 2e personne du pluriel.

Relevez le sujet dans les phrases suivantes et faites accorder le verbe au présent de l'indicatif.

1. Le feu *détruire*...les forêts.
2. C'est toi que je *préférer*.... .
3. Les soldats *être*..... appréciés.
4. Paul et Louise *dormir*.... .
5. Mes devoirs *être*...finis.

---

2. Complément d'objet direct

*La neige a paralysé **la circulation**.*

---

1. La phrase qui comprend une complément d'objet direct peut subir une transformation.

La neige	*paralyse*	***la circulation.***
La circulation	*est paralysée*	*par la neige.*

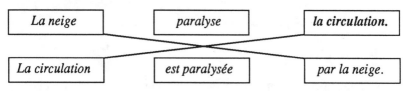

2. Il y a des verbes qui refusent le complément direct.

   Je dors.

- Pour reconnaître le complément d'objet direct on pose les questions: **qui? que? quoi?** après le verbe.

  La neige a paralysé **(quoi?)** la circulation.

Relevez les compléments d'objet direct dans les phrases suivantes.

1. Ces enfants, je les ai vus.
2. Il donne son billet au conducteur.
3. Les chasseurs que j'ai vus sont habiles.
4. Nous avons vu les chasseurs.
5. Je lui donne ce crayon.

---

3. Complément d'objet indirect

Le professeur parle à ses élèves.

---

1. Le complément indirect se distingue du complément direct par l'absence de toute transformation, on ne peut pas mettre la phrase à la forme passive.

2. Il y a des verbes qui refusent le complément indirect.

   Je meurs.

3. Contrairement au complément direct, le complément indirect est la plupart du temps introduit par une préposition.

4. Ordinairement, le complément indirect se place après le complément direct.

   L'élève remet son travail (c. dir.) au professeur (c. ind.).

- Pour reconnaître le complément d'objet indirect on pose après le verbe les questions: à qui? à quoi? de qui? de quoi? pour qui? pour quoi? contre qui? contre quoi?

  Le professeur parle (à qui?) à ses élèves.

Relevez les compléments indirects dans chacune des phrases suivantes.

1. Je lui donne ce crayon.
2. Il remet sa copie au professeur.
3. Il parle de sa mère.

---

4. Complément circonstanciel

*Je livre le journal **chaque matin**.*

---

1. Contrairement au complément direct, le complément circonstanciel ne peut pas, à la forme passive, devenir le sujet du verbe.

2. Le complément circonstanciel peut changer de place dans la phrase, on peut dire: ***Chaque matin**, je livre le journal.*

3. Le complément circonstanciel n'est pas essentiel, il indique en quelque sorte le décor du verbe (le temps, le lieu, la manière, etc.).

4. Le complément circonstanciel est généralement introduit par une préposition.

   Parfois le complément circonstanciel est employé sans préposition:

   ***Hier**, j'ai travaillé.*
   *J'étudie **tous les soirs**.*

5. Le complément circonstanciel se place ordinairement à la suite du complément direct et indirect.

   Je livre le journal (c. dir.) à mon voisin (c. ind.) chaque matin (c. circ.).

- Pour reconnaître le complément circonstanciel, on pose après le verbe les questions: **où? quand? comment? pourquoi? etc.**

  Je livre le journal **(quand?)** chaque matin.

Relevez les compléments circonstanciels dans les phrases suivantes.

1. Nous reviendrons l'an prochain.
2. La pluie tombe avec force sur ma vitre.
3. Je reviens du cimetière.

---

5. Attribut

La neige est ***blanche****.*

---

1. L'attribut est placé après le verbe et il est non permutable.

   Dans certains cas, lorsque le sujet et l'attribut représentent la même personne, ils peuvent être interchangeables.

   Le général est Paul.
   Paul est le général.

2. L'attribut est séparé du nom qu'il qualifie, par un verbe.

   Il prend le même genre et le même nombre que le sujet du verbe.

   La neige (est) blanche.
   Cet homme (paraît) généreux.

Relevez les attributs.

1. Il est revenu tout heureux.
2. Ce sac est pesant.
3. Il s'endormit découragé.

---

6. Attribut du complément d'objet direct

*La vie est rendue **agréable** par ce nouveau règlement.*

- **Agréable** est attribut de **vie.**

*Ce nouveau règlement rend la vie **agréable**.*

- **Agréable** est attribut de **vie.**

Dans le premier exemple, *vie* est sujet, tandis que dans le deuxième exemple, le mot *vie* est devenu complément direct; *agréable* qualifie toujours *vie*, alors *agréable* est attribut du complément direct *vie*.

- L'attribut du complément direct devient l'attribut du sujet à la forme passive.

*La vie est rendue **agréable** par ce nouveau règlement.*

Liste de quelques verbes pouvant accompagner l'attribut de l'objet:

appeler, avoir, choisir, connaître, créer, croire, déclarer, dire, estimer, faire, juger, nommer, rendre, saluer, savoir, vouloir

Relevez l'attribut du complément d'objet direct.

1. Nous trouvons ces personnes intéressantes.
2. Ce professeur rend son cours intéressant.
3. On juge les résultats satisfaisants.

7. Voix active et voix passive

1. La phrase est à la voix active lorsque le sujet accomplit l'action du verbe.

   Le chasseur abat ces perdrix.

2. La phrase est à la voix passive lorsque le sujet subit l'action exprimée par le verbe.

   Ces perdrix sont abattues par le chasseur.

3. **Règles de transformation**

Le chasseur	*abat*	*ces perdrix.*
Ces perdrix	*sont abattues*	*par le chasseur.*

a) Le sujet et le complément sont inversés.

b) À la forme passive, on ajoute l'auxiliaire être, suivi du participe passé du verbe de la forme active. - L'auxiliaire être s'écrit au même temps que le verbe de la forme active.

c) À la forme passive, le complément est précédé d'une préposition.

d) Lorsqu'on transforme la phrase à la forme passive, il faut surveiller l'accord syntaxique.

• Il n'y a que les verbes ayant un complément direct qui peuvent être transformés à la voix passive.

Indiquez si les phrases sont à la voix active ou à la voix passive.

1. Notre armée écrase l'ennemi.
2. Le soleil illumine la rosée.

Mettez à la forme passive la phrase suivante.

3. Le temps arrangera cette cicatrice.

---

8. Complément d'agent

Le sujet du verbe à la voix active, devient un complément d'agent à la voix passive.

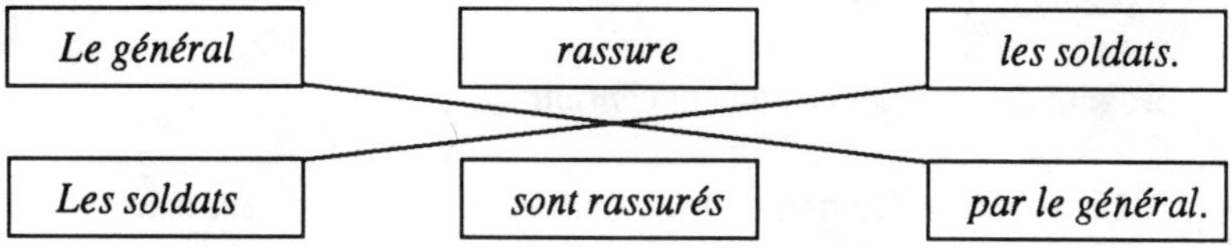

- Dans la première phrase, *le général* est sujet.
- Dans la deuxième phrase, *le général* est un complément d'agent.

Relevez les compléments d'agent.

1. Il lance le ballon à Pierre.
2. La balle est attrapée par le joueur du champ droit.
3. Le lac est éclairé par la lune.

9. Complément du nom, de l'adjectif, de l'adverbe et du pronom

1. **Complément du nom**

   Les enfants (de) ***Bogotá*** sont misérables.

   Bogotà est complément du nom **enfants.**

> • Un nom peut déterminer ou restreindre la portée d'un autre nom.
>
> • Le nom complément est séparé du nom complété par une préposition.

2. **Complément de l'adjectif**

   Cet homme est ivre (de) ***gloire****.*

   Gloire est complément de l'adjectif **ivre.**

3. **Complément de l'adverbe.**

   Trop (de) ***distractions*** *peuvent être nuisibles.*

   Distractions est complément de l'adverbe **trop.**

4. **Complément d'un pronom**

   Je préfère ceux (du) ***voisin****.*

   Voisin est complément du pronom **ceux.**

Donnez la fonction des mots en italique.

1. Le ski de *randonnée* est un sport qui intéresse les gens du Québec.
2. Il est fier de *son résultat.*
3. Ce pot est plein de *lait.*

---

10. Apposition

*Louis XIV, **le Roi-Soleil,** fut un grand roi.*
*La lune, **l'astre de la nuit**, éclaire le voyageur nocturne.*
*Les nielles, **plantes à fleurs pourpres**, sont abondantes.*

L'apposition est un nom ou un pronom qui se rapproche du complément du nom; elle précise ou qualifie un nom.

L'apposition désigne la même personne ou le même objet que le nom qu'elle complète.

lune= l'astre de la nuit

11. Apostrophe

***Louis**, je vous interdis de partir.*

Un nom ou un pronom est mis en apostrophe lorsqu'il désigne une personne qui est interpellée.

Donnez la fonction des mots en italique.

1. *Citoyens*, vous devez défendre votre patrie.
2. Le chien, *l'ami de l'homme*, est un animal honnête.
3. Le roi *Louis XVI* eut la tête tranchée.

---

12. Fonctions des mots pouvant être utilisés dans une phrase.

La fonction est le rapport qu'un mot entretient avec les autres mots de la phrase.

Le soleil ardent réchauffe graduellement le sol.

Différentes fonctions

Déterminant:	détermine le nom
Nom:	apposition apostrophe sujet complément d'objet direct complément d'objet indirect complément circonstanciel complément d'agent complément du nom complément de l'adjectif complément de l'adverbe complément du pronom attribut
Pronom:	fonctions semblables à celles du nom
Verbe:	support de la phrase
Adverbe:	modifie un adjectif modifie un adverbe modifie un verbe
Adjectif:	épithète attribut
Préposition:	la préposition marque un rapport entre le mot complément et le mot complété.
Conjonction:	la conjonction unit certains éléments entre eux.

B. LA PHRASE COMPLEXE

1. De la phrase simple à la phrase complexe

La phrase complexe permet d'exprimer avec précision une idée, mais il ne faut pas trop alourdir la phrase. On acquerra l'habitude de rédiger des phrases claires, précises et bien balancées par la pratique de l'écriture et de la lecture.

1. **Phrase simple**

groupe nominal		groupe verbal		
dét.	**nom**	**verbe**	**dét.**	**nom**
Les	*chasseurs*	*abattent*	*des*	*chevreuils.*

2. **Nous pouvons préciser le sens de cette phrase simple.**

groupe nominal			groupe verbal			
dét.	**nom**	**adjectif**	**verbe**	**adverbe**	**dét.**	**nom**
Les	*chasseurs*	*habiles*	*abattent*	*facilement*	*quelques*	*chevreuils.*

3. **Nous pouvons ajouter à une phrase simple des propositions subordonnées, nous avons alors une phrase complexe.**

Les chasseurs habiles	**début de la principale**
qui savent repérer les pistes des chevreuils	**Sub. complément du nom**
et qui ont la patience d'attendre,	**sub. juxtaposée complément du nom**
peuvent abattre quelques beaux chevreuils	**suite de la principale**
lorsque le soleil n'est pas encore levé.	**sub. complément circonstanciel**

Écrivez une phrase simple avec les mots suivants.

aviateur voir soucoupe volante

Avec la phrase simple ci-dessus, composez une phrase complexe.

2. Les propositions

1. **Proposition indépendante**

J'aime la ville de Québec.

La proposition indépendante ne comprend qu'un verbe à mode personnel.

2. **Proposition juxtaposée**

Paul travaille, Pierre joue.

Dans cette phrase, il y a deux propositions indépendantes; elles sont séparées par une virgule. Ce sont des propositions juxtaposées.

3. **Proposition coordonnée**
Il neige et nous faisons du ski.

Ces deux propositions sont reliées par une conjonction de coordination. Ce sont des propositions coordonnées.

4. **Proposition participiale**

***La nuit tombée**, Louise et Paul ont monté leur tente.*

La proposition participiale est une proposition subordonnée, formée avec un participe présent ou un participe passé. Elle remplit la fonction de subordonnée circonstancielle.

5. **Proposition infinitive**

La proposition infinitive est la forme infinitive de la proposition subordonnée.

*Elle écoute les oiseaux **chanter près du lac**.*

6. **Proposition incise**

La proposition incise indique que le narrateur rapporte les paroles, les pensées, etc. de quelqu'un.

*Vous verrez, **dit-il**, s'il ne recommence pas bientôt.*

7. **Proposition elliptique**

Dans une proposition elliptique, le groupe nominal ou le groupe verbal est sous-entendu.

Pierre joue au ballon; Paul, à la balle.

Dans la dernière proposition, il y a ellipse du verbe.

Jacques lit, écrit et réfléchit.

Dans les deux dernières propositions, il y a ellipse du nom.

8. Il peut y avoir des phrases sans verbes.

Quel beau film!

9. Il peut y avoir des phrases dont le verbe est à l'infinitif.

*Que **faire** en de telles circonstances?*

3. La phrase complexe

Pour rédiger une phrase complexe, on a recours, la plupart du temps, aux pronoms relatifs et aux conjonctions de subordination.

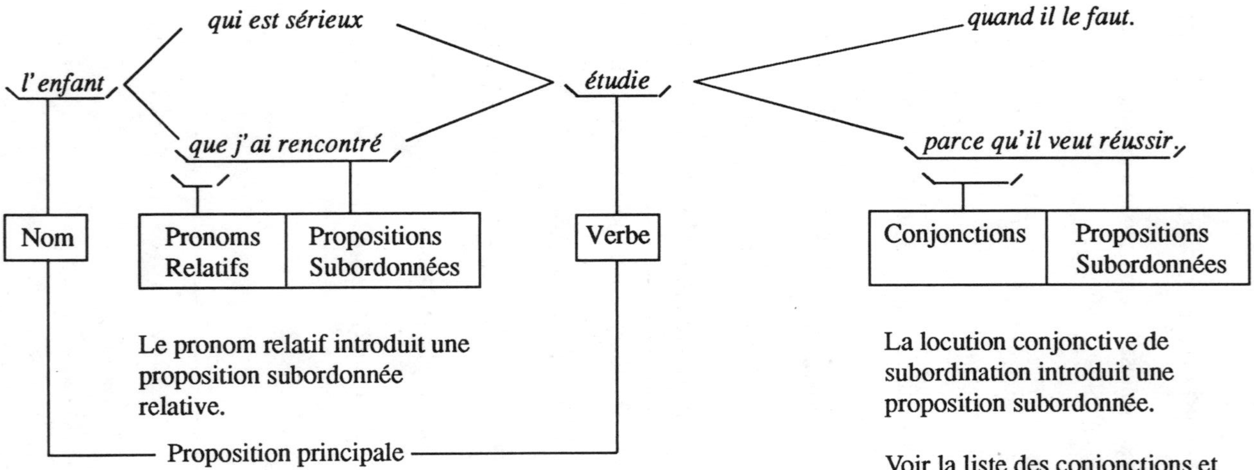

Le pronom relatif introduit une proposition subordonnée relative.

Voir la liste des pronoms relatifs à la page 23, no 1

La locution conjonctive de subordination introduit une proposition subordonnée.

Voir la liste des conjonctions et des locutions conjonctives de subordination à la page 30, no 3

4. Proposition principale

Je comprends *que tu sois peiné.*

Je comprends est une proposition principale.

> La proposition principale est le support de la phrase complexe; elle est complétée par une ou plusieurs propositions subordonnées.

5. Subordonnée complément du nom

Le livre ***que j'ai lu*** *est intéressant.*

Que j'ai lu est une proposition subordonnée complément du nom *livre.*

> La subordonnée complément du nom est introduite par un pronom relatif. C'est une subordonnée relative, elle complète un groupe nominal.

6. Subordonnée complément du pronom

Celui ***qui chante*** *a beaucoup de talent.*

Qui chante est une proposition complément du pronom *celui.*

Qui remplace le pronom *celui.*

Donnez la fonction des propositions en italique.

1. *Le chapeau de Pierre est en paille.*
2. La pluie *qui tombe depuis hier* est bénéfique aux cultivateurs.
3. Le joueur *que j'ai vu* est habile.
4. C'est eux *qui partiront.*
5. Le peuple *dont vous me racontiez l'histoire* était civilisé.

---

7. Subordonnée complément d'objet direct

Je désire (que) tu fréquentes une école agréable.

Que tu fréquentes une école agréable est une proposition subordonnée complément d'objet direct; elle complète la proposition principale.

La proposition subordonnée complément d'objet direct est introduite par un mot de liaison qu'on appelle conjonction de subordination. C'est une proposition complétive.

8. Subordonnée complément circonstanciel

1. Subordonnée complément circonstanciel de temps

(Quand) il neige, la circulation est paralysée.

Quand il neige est une propositon subordonnée complément circonstanciel de temps.

La subordonnée complément circonstanciel est ordinairement introduite par une conjonction de subordination.

Liste des conjonctions de subordination qui peuvent introduire une subordonnée complément circonstanciel de temps:

Avant que,	quand,
après que,	dès que,
pendant que,	depuis que,
comme,	aussitôt que, etc.
lorsque,	

Donnez la fonction des propositions en italique.

1. Je désire *que tu réussisses.*
2. Je veux *que tu obéisses.*
3. J'étudie *quand les examens approchent.*
4. *Lorsqu'il pleut*, je joue aux échecs.

---

2. **De cause**

   Il vint frapper à la porte, ***(pour qu') on lui ouvrît.***

   Parce que, puisque, comme, du moment que, etc.

3. **De conséquence**

   La pluie devint ***si*** *intense,* ***(que) l'on dut fermer la fenêtre.***

   Si bien que, tant, tellement, de telle sorte que, que (lorsqu'il y a dans la principale: tel, si, tant, ou tellement, etc.)

4. **De but**

   Tu es arrivé trop tard, ***(pour qu') on puisse partir ce soir.***

   Afin que, pour que, que, de crainte que, etc.

5. **De condition**

   Je vous dirai tout ***(si) vous me promettez le secret.***

   Selon que, suivant que, pourvu que, à condition que, à moins que, etc.

6. **De comparaison**

   Je le voyais ***(aussi)*** *heureux* ***(que) je l'avais connu autrefois.***

   De même que, ainsi que, tel que, comme, aussi que, autant que, plus que, etc.

7. **De concession (opposition ou restriction)**

   (Bien qu') il fût déguisé, *je l'ai reconnu.*

   Quoique, bien que, malgré que, même si, sauf que, etc.

Écrivez cinq phrases, comprenant des subordonnées compléments circonstanciels et donnez la nature de chacune.

---

9. Analyse de la phrase complexe

L'astrologue, qui connaît l'avenir, me prédit la fortune.

Cette phrase complexe contient deux phrases simples:

1. *L'astrologue connaît l'avenir.*
2. *L'astrologue me prédit la fortune.*

J'étudie avec ardeur.
Je veux réussir mes examens.
Mes examens auront lieu à la mi-juin.

Avec ces trois phrases simples nous pouvons former une phrase complexe:

J'étudie avec ardeur ***parce que*** *je veux réussir mes examens* ***qui*** *auront lieu à la mi-juin.*

Dans la phrase complexe, il y a autant de propositions qu'il y a de verbes à modes personnels. La proposition principale véhicule l'idée principale de la phrase. Les propositions subordonnées sont ordinairement introduites par un pronom relatif ou par une conjonction de subordination.

Relevez les phrases simples que contient la phrase suivante.

1. Le professeur qui sait qu'on terminera ce chapitre dans quinze jours, exige l'attention de tous les élèves.

Écrivez une phrase complexe avec les trois phrases simples suivantes.

2. Le nuage gris annonce la pluie.
3. Le nuage gris s'élève.
4. La pluie tombera sur les récoltes des paysans.

10. Formes de phrase

1. **Forme déclarative**

Dieu existe.
La vie est agréable.

La phrase est à la forme déclarative lorsqu'on exprime l'existence d'une réalité ou d'une vérité.

2. **Forme négative**

*Je **ne** travaille **pas**.*
*Je **n'** aime **guère** cette plaisanterie.*

La phrase est à la forme négative losqu'on nie quelque chose. On ajoute à la phrase affirmative une négation: **ne...pas, ne...plus, ne...guère, etc.** .

3. **Forme interrogative**

*Viendrez-**vous**?*
***Est-ce que** vous viendrez?*

La phrase est à la forme interrogative losqu'on formule une question. Le pronom est placé après le verbe ou on place devant la phrase affirmative une tournure interrogative.

4. **Forme négative-interrogative**

Ne viendrez-vous pas?

La phrase est à la forme négative-interrogative losqu'on pose une question en y ajoutant une tournure négative.

5. **Forme impérative**

Sortez de la classe.

La phrase est à la forme impérative losqu'on transmet un ordre ou un souhait.

6. **Forme exclamative**

Quel beau paysage!

La phrase est à la forme exclamative losqu'elle contient les éléments d'une exclamation, exprimant de manière spontanée, une émotion, un sentiment.

11. Style direct et indirect

1. **Style direct**

Nous pouvons citer les paroles de quelqu'un d'une façon intégrale, c'est le style direct.

Avant de mourir, le père dit à ses enfants: "Remuez le sol en tous sens, un trésor s'y trouve caché."

- Il ne faut pas oublier les deux points, les guillemets et la majuscule au premier mot de la citation. Le point final est à l'intérieur des guillemets.

2. **Style indirect**

Nous pouvons rapporter les paroles de quelqu'un sans les citer intégralement.

Avant de mourir le père disait à ses enfants de remuer le sol en tous sens.

Avant de mourir le père disait à ses enfants qu'ils devaient remuer le sol en tous sens.

Écrivez deux fois la phrase ci-dessous en employant les deux styles.

Le travail conduit au succès, cette phrase est dite par un père à son fils.

C. Le verbe

I. Les modes et les temps

1. Modes personnels

1. **L'indicatif**

L'indicatif est le mode qui indique la réalité. Il actualise le procès dans le présent, dans le passé ou dans le futur.

Je travaille, je travaillai, je travaillerai.

2. **L'impératif**

L'impératif est le mode de l'action. Il est toujours motivé par l'affectivité. Il implique un dialogue où le locuteur veut agir sur quelqu'un.

Travaille bien.

3. **Le subjonctif**

Ce mode peut indiquer le temps, mais on se sert plutôt de ce mode pour indiquer l'interprétation que l'on veut donner à un fait. L'action est perçue comme douteuse, possible, voulue.

Je préfère ***que tu obéisses****.*

2. Modes non personnels

4. **L'infinitif**

L'infinitif se rapproche du nom.

Son ***rire*** *est clair. - Il faut en* ***rire****.*

5. **Le participe**

Le participe se rapproche de l'adjectif.

Louise est ***belle****.*
Louise est ***partie****.*

3. Formation des temps

1.	**Temps simples**	**Imparfait** J'aim*ais*	**Passé simple** J'aim*ai*	**Présent** J'aim*e*	**Fut. simple** J'aimer*ai*	**Conditionnel simple** J'aimer*ais*
2.	**Temps composés**	**p.-q.-p.** J'av*ais* + *é*	**Passé ant.** J'*eus* + *é*	**Passé comp.** J'*ai* + *é*	**Fut. ant.** J'aur*ai* + *é*	**Cond. passé** J'aur*ais* + *é*

3. **Formation des temps simples (1 re personne du singulier)**

	Aimer	**Finir**	**Recevoir**
Ind. prés.	aim e	fini s	reçoi s
Impér. 2e p.s.	aim e	fini s	reçoi s
Subj. prés.	aim e	fini sse	reçoiv e
Imparf.	aim ais	fini ssais	recev ais
Cond. simple	aim erais	fini rais	recev rais
Fut. simple	aim erai	fini rai	recev rai
Passé simple	aim ai	fini s	reç us

4.

1er groupe	**Ind. prés.**	**Subj. prés.**	**Impér.**	**Imparf.**	**Cond. prés.**	**Fut.**	**Pass. simple**
je	e	e		ais	rais	rai	ai
tu	es	es	e	ais	rais	ras	as
il	e	e		ait	rait	ra	a
nous	ons	ions	ons	ions	rions	rons	âmes
vous	ez	iez	ez	iez	riez	rez	âtes
ils	ent	ent		aient	raient	ront	èrent

5. La forme en *ai* indique le temps: le passé ou le futur.

La forme en *ais* peut indiquer le temps, mais ce n'est pas sa valeur fondamentale. Le conditionnel indique que le procès repose avant tout sur une condition, mais comme cette condition n'est pas encore réalisée, l'action se situe dans le futur. L'imparfait se rapproche du conditionnel: - *Si tu voulais.*

4. Verbes pronominaux

On appelle verbes pronominaux ceux qui se conjuguent avec deux pronoms de la même personne. Certains verbes sont toujours pronominaux: s'arroger; d'autres verbes sont accidentellement pronominaux: se blesser.

Je me blesse.

Dans cet exemple le sujet *je* et le complément *me* représentent la même personne.

5. Verbe impersonnel

Un verbe est impersonnel lorsqu'il ne peut se conjuguer qu'à la troisième personne du singulier.

Il pleut.

6. Verbe auxiliaire

Un verbe auxiliaire est un verbe qui sert à conjuguer d'autres verbes aux temps composés.

*Je **suis** parti.*
*J'**ai** terminé mon devoir.*

- Les verbes *avoir* et *être* sont les principaux verbes auxiliaires.

7. Verbe intransitif

Un verbe est intransitif quand il ne peut jamais avoir un complément d'objet direct.

Il dort.

8. Verbe transitif

Un verbe est transitif lorsqu'il peut avoir un complément direct ou indirect.

a) *Paul lance (le ballon).*
   Lance est un verbe **transitif direct.**

b) *Je joue (au ballon).*
   Joue est un verbe **transitif indirect.**

9. Avoir

Indicatif

Présent	Passé composé	
J'ai	J'ai	eu
Tu as	Tu as	eu
Il a	Il a	eu
Nous avons	Nous avons	eu
Vous avez	Vous avez	eu
Ils ont	Ils ont	eu
Imparfait	**Plus-que-parfait**	
J'avais	J'avais	eu
Tu avais	Tu avais	eu
Il avait	Il avait	eu
Nous avions	Nous avions	eu
Vous aviez	Vous aviez	eu
Ils avaient	Ils avaient	eu
Futur simple	**Futur antérieur**	
J'aurai	J'aurai	eu
Tu auras	Tu auras	eu
Il aura	Il aura	eu
Nous aurons	Nous aurons	eu
Vous aurez	Vous aurez	eu
Ils auront	Ils auront	eu
Passé simple	**Passé antérieur**	
J'eus	J'eus	eu
Tu eus	Tu eus	eu
Il eut	Il eut	eu
Nous eûmes	Nous eûmes	eu
Vous eûtes	Vous eûtes	eu
Ils eurent	Ils eurent	eu
Conditionnel présent	**Conditionnel passé**	
J'aurais	J'aurais	eu
Tu aurais	Tu aurais	eu
Il aurait	Il aurait	eu
Nous aurions	Nous aurions	eu
Vous auriez	Vous auriez	eu
Ils auraient	Ils auraient	eu

Impératif

Présent	Passé	
Aie	Aie	eu
Ayons	Ayons	eu
Ayez	Ayez	eu

Subjonctif

Présent	Passé	
Que j'aie	Que j'aie	eu
Que tu aies	Que tu aies	eu
Qu'il ait	Qu'il ait	eu
Que ns ayons	Que ns ayons	eu
Que vs ayez	Que vs ayez	eu
Qu'ils aient	Qu'ils aient	eu
Imparfait	**Plus-que-parfait**	
Que j'eusse	Que j'eusse	eu
Que tu eusses	Que tu eusses	eu
Qu'il eût	Qu'il eût	eu
Que ns eussions	Que ns eussions	eu
Que vs eussiez	Que vs eussiez	eu
Qu'ils eussent	Qu'ils eussent	eu

Infinitif

Présent	Passé	
Avoir	Avoir	eu

Participe

Présent	Passé	
Ayant	Eu	
	Ayant	eu

10. Être

Indicatif

Présent	Passé composé	
Je suis	J'ai	été
Tu es	Tu as	été
Il est	Il a	été
Ns sommes	Ns avons	été
Vs êtes	Vs avez	été
Ils sont	Ils ont	été
Imparfait	**Plus-que-parfait**	
J'étais	J'avais	été
Tu étais	Tu avais	été
Il était	Il avait	été
Ns étions	Ns avions	été
Vs étiez	Vs aviez	été
Ils étaient	Ils avaient	été
Futur simple	**Futur antérieur**	
Je serai	J'aurai	été
Tu seras	Tu auras	été
Il sera	Il aura	été
Ns serons	Ns aurons	été
Vs serez	Vs aurez	été
Ils seront	Ils auront	été
Passé simple	**Passé antérieur**	
Je fus	J'eus	été
Tu fus	Tu eus	été
Il fut	Il eut	été
Ns fûmes	Ns eûmes	été
Vs fûtes	Vs eûtes	été
Ils furent	Ils eurent	été
Conditionnel présent	**Conditionnel passé**	
Je serais	J'aurais	été
Tu serais	Tu aurais	été
Il serait	Il aurait	été
Ns serions	Ns aurions	été
Vs seriez	Vs auriez	été
Ils seraient	Ils auraient	été

Impératif

Présent	Passé	
Sois	Aie	été
Soyons	Ayons	été
Soyez	Ayez	été

Subjonctif

Présent	Passé	
Que je sois	Que j'aie	été
Que tu sois	Que tu aies	été
Qu'il soit	Qu'il ait	été
Que ns soyons	Que ns ayons	été
Que vs soyez	Que vs ayez	été
Qu'ils soient	Qu'ils aient	été
Imparfait	**Plus-que-parfait**	
Que je fusse	Que j'eusse	été
Que tu fusses	Que tu eusses	été
Qu'il fût	Qu'il eût	été
Que ns fussions	Que ns eussions	été
Que vs fussiez	Que vs eussiez	été
Qu'ils fussent	Qu'ils eussent	été

Infinitif

Présent	Passé	
Être	Avoir	été

Participe

Présent	Passé	
Étant	Été	
	Ayant	été

11. 1er Groupe - Aimer

Infinitif: er — Indicatif présent: e — Participe présent: ant

Indicatif

Présent	Passé composé
J' aime	J' ai aimé
Tu aimes	Tu as aimé
Il aime	Il a aimé
Ns aimons	Ns avons aimé
Vs aimez	Vs avez aimé
Ils aiment	Ils ont aimé

Imparfait	Plus-que-parfait
J' aimais	J' avais aimé
Tu aimais	Tu avais aimé
Il aimait	Il avait aimé
Ns aimions	Ns avions aimé
Vs aimiez	Vs aviez aimé
Ils aimaient	Ils avaient aimé

Futur simple	Futur antérieur
J' aimerai	J' aurai aimé
Tu aimeras	Tu auras aimé
Il aimera	Il aura aimé
Ns aimerons	Ns aurons aimé
Vs aimerez	Vs aurez aimé
Ils aimeront	Ils auront aimé

Passé simple	Passé antérieur
J' aimai	J' eus aimé
Tu aimas	Tu eus aimé
Il aima	Il eut aimé
Ns aimâmes	Ns eûmes aimé
Vs aimâtes	Vs eûtes aimé
Ils aimèrent	Ils eurent aimé

Conditionnel Présent	Conditionnel Passé
J' aimerais	J' aurais aimé
Tu aimerais	Tu aurais aimé
Il aimerait	Il aurait aimé
Ns aimerions	Ns aurions aimé
Vs aimeriez	Vs auriez aimé
Ils aimeraient	Ils auraient aimé

Impératif

Présent	Passé
Aime	Aie aimé
Aimons	Ayons aimé
Aimez	Ayez aimé

Subjonctif

Présent	Passé
Que j' aime	Que j' aie aimé
Que tu aimes	Que tu aies aimé
Qu' il aime	Qu' il ait aimé
Que ns aimions	Que ns ayons aimé
Que vs aimiez	Que vs ayez aimé
Qu' ils aiment	Qu' ils aient aimé

Imparfait	Plus-que-parfait
Que j' aimasse	Que j' eusse aimé
Que tu aimasses	Que tu eusses aimé
Qu' il aimât	Qu' il eût aimé
Que ns aimassions	Que ns eussions aimé
Que vs aimassiez	Que vs eussiez aimé
Qu' ils aimassent	Qu' ils eussent aimé

Infinitif

Présent	Passé
Aimer	Avoir aimé

Participe

Présent	Passé
Aimant	Aimé
	Ayant aimé

12. 2e Groupe: Finir

Infinitif: ir | Indicatif présent: is | Participe présent: issant

Indicatif

Présent		Passé composé		
Je	finis	J'	ai	fini
Tu	finis	Tu	as	fini
Il	finit	Il	a	fini
Ns	finissons	Ns	avons	fini
Vs	finissez	Vs	avez	fini
Ils	finissent	Ils	ont	fini

Imparfait		Plus-que-parfait		
Je	finissais	J'	avais	fini
Tu	finissais	Tu	avais	fini
Il	finissait	Il	avait	fini
Ns	finissions	Ns	avions	fini
Vs	finissiez	Vs	aviez	fini
Ils	finissaient	Ils	avaient	fini

Futur simple		Futur antérieur		
Je	finirai	J'	aurai	fini
Tu	finiras	Tu	auras	fini
Il	finira	Il	aura	fini
Ns	finirons	Ns	aurons	fini
Vs	finirez	Vs	aurez	fini
Ils	finiront	Ils	auront	fini

Passé simple		Passé antérieur		
Je	finis	J'	eus	fini
Tu	finis	Tu	eus	fini
Il	finit	Il	eut	fini
Ns	finîmes	Ns	eûmes	fini
Vs	finîtes	Vs	eûtes	fini
Ils	finirent	Ils	eurent	fini

Conditionnel présent		Conditionnel passé		
Je	finirais	J'	aurais	fini
Tu	finirais	Tu	aurais	fini
Il	finirait	Il	aurait	fini
Ns	finirions	Ns	aurions	fini
Vs	finiriez	Vs	auriez	fini
Ils	finiraient	Ils	auraient	fini

Impératif

Présent	Passé	
Finis	Aie	fini
Finissons	Ayons	fini
Finissez	Ayez	fini

Subjonctif

Présent			Passé			
Que	je	finisse	Que	j'	aie	fini
que	tu	finisses	Que	tu	aies	fini
Qu'	il	finisse	Qu'	il	ait	fini
Que	ns	finissions	Que	ns	ayons	fini
Que	vs	finissiez	Que	vs	ayez	fini
Qu'	ils	finissent	Qu'	ils	aient	fini

Imparfait			Plus-que-parfait			
Que	je	finisse	Que	j'	eusse	fini
Que	tu	finisses	Que	tu	eusses	fini
Qu'	il	finît	Qu'	il	eût	fini
Que	ns	finissions	Que	ns	eussions	fini
Que	vs	finissiez	Que	vs	eussiez	fini
Qu'	ils	finissent	Qu'	ils	eussent	fini

Infinitif

Présent	Passé	
Finir	Avoir	fini

Participe

Présent	Passé	
Finissant	Fini	
	Ayant	fini

13. 3e Groupe: Recevoir

Infinitif: oir (ir, re) Indicatif présent: s (x) Participe présent: ant

Indicatif

Présent		**Passé composé**		
Je	reçois	J'	ai	reçu
Tu	reçois	Tu	as	reçu
Il	reçoit	Il	a	reçu
Ns	recevons	Ns	avons	reçu
Vs	recevez	Vs	avez	reçu
Ils	reçoivent	Ils	ont	reçu
Imparfait		**Plus-que-parfait**		
Je	recevais	J'	avais	reçu
Tu	recevais	Tu	avais	reçu
Il	recevait	Il	avait	reçu
Ns	recevions	Ns	avions	reçu
Vs	receviez	Vs	aviez	reçu
Ils	recevaient	Ils	avaient	reçu
Futur simple		**Futur antérieur**		
Je	recevrai	J'	aurai	reçu
Tu	recevras	Tu	auras	reçu
Il	recevra	Il	aura	reçu
Ns	recevrons	Ns	aurons	reçu
Vs	recevrez	Vs	aurez	reçu
Ils	recevront	Ils	auront	reçu
Passé simple		**Passé antérieur**		
Je	reçus	J'	eus	reçu
Tu	reçus	Tu	eus	reçu
Il	reçut	Il	eut	reçu
Ns	reçûmes	Ns	eûmes	reçu
Vs	reçûtes	Vs	eûtes	reçu
Ils	reçurent	Ils	eurent	reçu
Conditionnel présent		**Conditionnel passé**		
Je	recevrais	J'	aurais	reçu
Tu	recevrais	Tu	aurais	reçu
Il	recevrait	Il	aurait	reçu
Ns	recevrions	Ns	aurions	reçu
Vs	recevriez	Vs	auriez	reçu
Ils	recevraient	Ils	auraient	reçu

Impératif

Présent	**Passé**	
Reçois	Aie	reçu
Recevons	Ayons	reçu
Recevez	Ayez	reçu

Subjonctif

Présent			**Passé**			
Que	je	reçoive	Que	j'	aie	reçu
Que	tu	reçoive	Que	tu	aies	reçu
Qu'	il	reçoive	Qu'	il	ait	reçu
Que	ns	recevions	Que	ns	ayons	reçu
Que	vs	receviez	Que	vs	ayez	reçu
Qu'	ils	reçoivent	Qu'	ils	aient	reçu
Imparfait			**Plus-que-parfait**			
Que	je	reçusse	Que	j'	eusse	reçu
Que	tu	reçusses	Que	tu	eusses	reçu
Qu'	il	reçût	Qu'	il	eût	reçu
Que	ns	reçussions	Que	ns	eussions	reçu
Que	vs	reçussiez	Que	vs	eussiez	reçu
Qu'	ils	reçussent	Qu'	ils	eussent	reçu

Infinitif

Présent	**Passé**
Recevoir	Avoir reçu

Participe

Présent	**Passé**
Recevant	Reçu
	Ayant reçu

14. Verbes du 3e groupe

Ind.	prés.	Pass.	simp.	Futur	simp.	Subj.	prés.	
Je	pars	je	partis	je	partirai	que	je	parte
nous	partons	nous	partîmes	nous	partirons	que	nous	partions
Je	tiens	je	tins	je	tiendrai	que	je	tienne
nous	tenons	nous	tînmes	nous	tiendrons	que	nous	tenions
J'	assois	j'	assis	j'	assoirai	que	j'	assoie
nous	assoyons	nous	assîmes	nous	assoirons	que	nous	assoyions
Je	vois	je	vis	je	verrai	que	je	voie
nous	voyons	nous	vîmes	nous	verrons	que	nous	voyions
Je	sais	je	sus	je	saurai	que	je	sache
nous	savons	nous	sûmes	nous	saurons	que	nous	sachions
Je	peux	je	pus	je	pourrai	que	je	puisse
nous	pouvons	nous	pûmes	nous	pourrons	que	nous	puissions
Je	meurs	je	mourus	je	mourrai	que	je	meure
nous	mourons	nous	mourûmes	nous	mourrons	que	nous	mourions
Je	connais	je	connus	je	connaîtrai	que	je	connaisse
nous	connaissons	nous	connûmes	nous	connaîtrons	que	nous	connaissions
Je	veux	je	voulus	je	voudrai	que	je	veuille
nous	voulons	nous	voulûmes	nous	voudrons	que	nous	voulions
Je	prends	je	pris	je	prendrai	que	je	prenne
nous	prenons	nous	prîmes	nous	prendrons	que	nous	prenions
Je	crois	je	crus	je	croirai	que	je	croie
nous	croyons	nous	crûmes	nous	croirons	que	nous	croyions
Je	fais	je	fis	je	ferai	que	je	fasse
nous	faisons	nous	fîmes	nous	ferons	que	nous	fassions
Je	mets	je	mis	je	mettrai	que	je	mette
nous	mettons	nous	mîmes	nous	mettrons	que	nous	mettions
Je	dis	je	dis	je	dirai	que	je	dise
nous	disons	nous	dîmes	nous	dirons	que	nous	disions

II. L'ASPECT ET LA CONCORDANCE

1. Présent

1. Si on situe toutes les actions possibles **en fonction du temps**, l'indicatif présent sert à exprimer aussi bien l'action ponctuelle que la durée, l'habitude ou même une vérité éternelle.

   a) Une action **ponctuelle** .... point
   qui ne dure qu'un instant.

   Il ***lance*** *la balle.*

   b) **La durée** ....

   Il ***dort.***

   c) **L'habitude** ....

   Il ***s'appelle*** *Paul.*

   d) **La vérité** ....

   Dieu ***existe.***

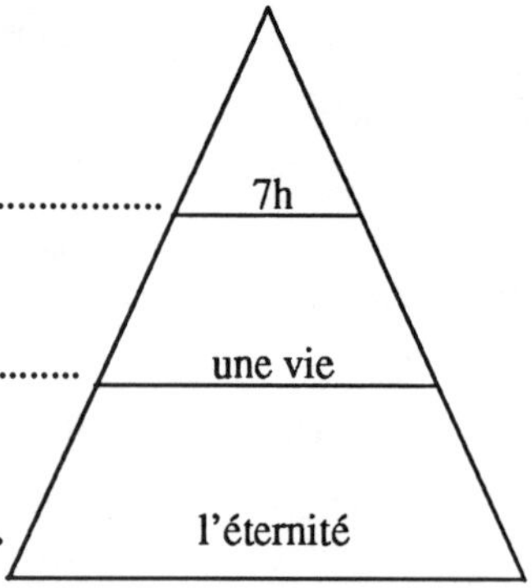

2. **Le passé**

   Je ***viens*** *d'arriver.* (le passé immédiat)

3. **Le présent historique**

   Un récit au passé, interrompu d'un présent.

4. **Le futur**

   Je ***pars*** *après ce cours.* (futur prochain)

5. **Le futur hypothétique** (Cet aspect n'a pas de valeur temporelle.)

   Si nous ***n'agissons*** *pas, nous sommes perdus.*

Dites si l'aspect des verbes représente une action ponctuelle, une habitude ou une durée.

1. Le chasseur *abat* une perdrix.
2. Louise se *repose*.
3. La terre *tourne* autour du soleil.

---

2. Futur

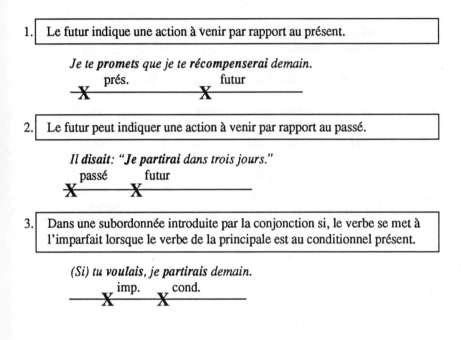

1. Le futur indique une action à venir par rapport au présent.

*Je te **promets** que je te **récompenserai** demain.*

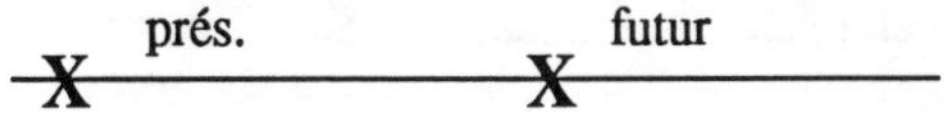

2. Le futur peut indiquer une action à venir par rapport au passé.

*Il **disait**: "**Je partirai** dans trois jours."*

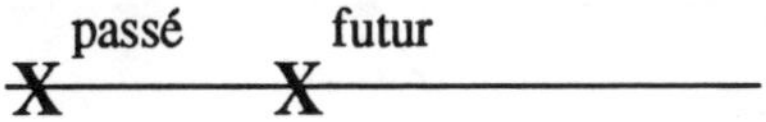

3. Dans une subordonnée introduite par la conjonction si, le verbe se met à l'imparfait lorsque le verbe de la principale est au conditionnel présent.

*(Si) tu **voulais**, je **partirais** demain.*

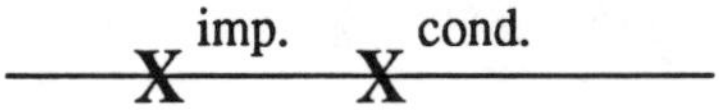

Dites si l'action du verbe se situe dans le passé, dans le futur ou dans le présent.

1. Je ne *parlerai* pas longtemps, je suis occupé.
2. Mon père me disait: "Tu *iras* au collège."
3. Si tu m'aides, j'y *parviendrai.*
4. Nous *irons* à Rome l'an prochain.

---

3. Imparfait

1. L'indicatif imparfait peut exprimer dans le passé ce que l'indicatif présent exprime dans le présent.

   a) Une action **ponctuelle** .... point

   *Je **lançais** la balle quand il passait.*

   b) **La durée** ....

   *Il **dormait** toute la nuit.*

   c) **L'habitude** ....

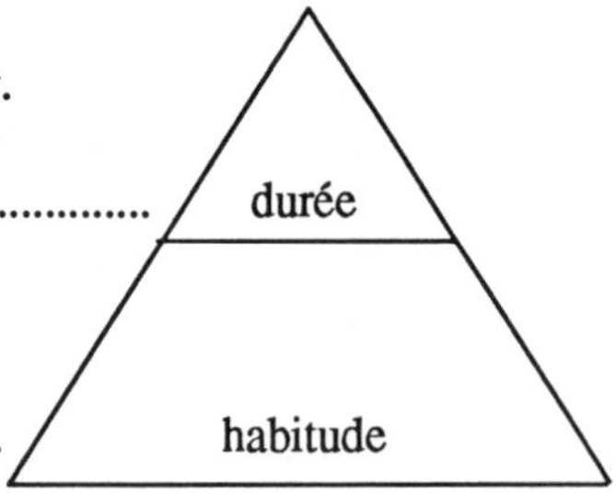

   *Chez les Grecs, l'hospitalité **était** une vertu.*

2. **Le passé:** *Vous avez dit que **j'étais** honnête.*

3. **Le futur:** *Si tu **venais** demain nous sortirions.*

4. **L'imparfait peut exprimer des faits exclus de notre actualité:**
   *Vous nous **accusiez**, malheureux.*

- Ici l'aspect n'est pas temporel; nous mettons au passé un fait présent pour atténuer une vérité présente.

Dites si l'aspect des verbes représente une durée, une action ponctuelle ou une habitude.

1. L'homme *filait* plus vite qu'un cheval.
2. Il *s'étendait* au soleil.
3. On *l'appelait* Séraphin.

---

4. Trois temps du passé

L'imparfait	Le passé simple
1. **exprime une certaine durée.**	1. **exprime une action ponctuelle.**
*Il **s'étendait** au soleil.*	*Il le **vit** tomber.*
2. **indique le décor.**	2. **indique l'événement (l'action).**
*Nous **étions** à l'étude*	*quand le professeur **entra**.*
3. **une énumération d'actions**	3. **une action ponctuelle.**
*L'enfant **s'agriffait**, **plongeait**, **remontait**.*	*Il **s'écroula**, le visage dans le noir.*
4. **exprime l'action secondaire.**	4. **exprime l'action principale.**
*La semaine passée, il **perdait** son argent;*	*hier sa femme **mourut***
5. **exprime la cause.**	5. **exprime la conséquence.**
*Elle **s'évanouissait**,*	*on la **porta** à la fenêtre.*

Donnez l'aspect des verbes en italique.

1. Il ouvrait ses grandes jambes. Il les *refermait*. Il balançait ses bâtons.
Le Chant du monde, p. 142
2. Jeudi, sa femme lui *téléphonait*; dimanche, elle *arriva*.
3. Louise *dormait* quand le téléphone *sonna*.

---

4. Trois temps du passé (suite)

Le passé simple	Le passé composé
1. **exprime une action ponctuelle.**	1. **exprime une certaine durée.**
• Une action accomplie, terminée.	• Un fait achevé, mais qui a encore un contact avec le présent.
*Il **érigea** sa maison en 1898.*	*La semaine passée, il **a travaillé** à son chalet.*
2. **exprime un passé lointain.**	2. **exprime un passé proche.**
*Champlain **fonda** Québec en 1608.*	***J'ai préparé** mon examen.*
3. **temps employé surtout à l'écrit.**	3. **temps employé surtout à l'oral.**

Écrivez correctement les verbes en italique en respectant la concordance des temps.

Le jour le surprit les bras ballants, la tête sur les genoux. Il s'étira, puis se rendit à la hutte en rampant. L'inconnu dormait encore. Pique *river* ses yeux sur lui et se mit à débattre de quelle façon il agirait. Il en était arrivé à la conclusion que ce serait lâche de surprendre un homme dans son sommeil lorsque Pierrot *s'éveiller*.

Jos Carbone, p. 86

J'ai marché jusqu'au quai, je me suis déshabillé, je *nager* jusqu'à l'île, j'aurais dû me noyer. Le lendemain, je *retourner* chercher mes affaires que j'avais cachées dans une anfractuosité du ciment, avec une pierre dessus. Un des cahiers était mouillé, mais personne n'y avait touché. Je suis allé chez le notaire, il *me promettre* de vendre le restaurant.

Salut Galarneau!, p. 123

---

5. Trois temps composés

1. **Passé antérieur**

Le passé antérieur exprime un fait passé qui est survenu avant un autre fait passé, c'est le passé du passé. (antérieur = avant)

*Lorsque Philippe **fut reparti**, je me **suis agenouillé**.*

passé ant. — passé comp.

———X——————X———

2. **Futur antérieur**

a) Le futur antérieur indique une action future qui sera accomplie avant une autre action à venir, c'est un passé du futur.

*Quand **j'aurai vu** le film Kamouraska, je vous en **parlerai**.*

action ant. — action future

—X——————————X———

b) Le futur antérieur peut exprimer **une probabilité**.

*Quelqu'un vous **aura** sans doute **appris** ma nouvelle adresse.*

c) Le futur antérieur peut exprimer **une affirmation** ou une **constatation**.

*Le Directeur **aura oublié** que la représentation avait lieu ce soir.*

3. **Plus-que-parfait**

Le plus-que-parfait exprime, comme le passé antérieur, un fait qui est survenu avant un autre événement également passé. Mais en plus, le plus-que-parfait indique que l'action est parfaitement accomplie.

*Quand il **avait travaillé** toute la journée, il **s'endormait** tôt.*

Écrivez correctement les verbes en italique en respectant la concordance des temps.

1. Quand la guerre *finir*, il chercha sa femme.
2. Lorsque nous *terminer* nos examens, nous partirons en vacances.
3. Parce qu'il *poser* une bombe, il fut jeté en prison.

---

6. Conditionnel présent

1. Le conditionnel peut exprimer une action future par rapport à un passé, c'est le futur du passé.

*Il **affirma** que Paul **ferait** un mauvais coup.*

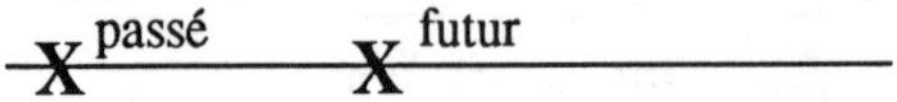

2. Le conditionnel peut exprimer qu'une action ne se réalisera qu'à certaines conditions.

*Si je gagnais la loto, je vous **ferais** un cadeau.*

3. Le conditionnel peut exprimer un fait irréel.

***J'irais** à Rome si j'avais de l'argent.*

- Avec l'imparfait hypothétique, nous employons le conditionnel.

*Le pays **serait** propère si les gens étaient plus honnêtes.*

On ne dit pas: *seraient plus honnêtes.*

7. Conditionnel passé

Le conditionnel passé exprime une éventualité passée, non achevée.

*Vous l'**auriez** dit, j'**aurais été ravi**.*

Écrivez les verbes en italique au conditionnel présent ou passé et faites l'accord qui s'impose.

Je pourrais ne pas faire abattre le mur, je conserverais la maison comme écritoire, je veux dire je parcourrais les rues, *j'embrasser* des enfants, je connaîtrais des femmes, je *gagner* des sous......

Salut Galarneau! p. 153

---

8. Subjonctif

> Le subjonctif présent donne l'interprétation d'un fait présent (un souhait, une possibilité, etc.). C'est l'irréel du présent.

*Je **désire que** tu **t'abstiennes**.*

On dit:	On ne dit pas:
*Bien qu'il **soit** parti.*	*(Bien qu'il est parti.)*
*Bien qu'il se **soit** excusé.*	*(Bien qu'il s'est excusé.)*

9. Impératif

L'impératif présent indique:

a) **un ordre**: *Taisez-vous.*

b) **un souhait, une prière**: *De grâce, préservez-moi.*

Dites si les verbes suivants représentent un souhait ou un ordre.

1. *Revenez* tôt.
2. *Que* les nations *s'unissent* pour assurer la paix.
3. *Aidons* les peuples éprouvés.
4. Paul, *sortez.*

Deuxième partie

GRAMMAIRE NORMATIVE

LE VERBE

LE NOM

L'ADJECTIF

LA PONCTUATION

SYNTAXE PARTICULIÈRE

Un rappel important

Il est important de reconnaître la nature d'un mot ou d'un groupe de mots selon la place qu'ils occupent dans la phrase, pour ainsi faire l'accord qui s'impose.

a) *Les pièces **ci-jointes** sont précieuses.*

Ci-jointes accompagne le nom, il est adjectif qualificatif; il s'accorde avec *pièces.*

b) ***Ci-joint**, vous trouverez les pièces.*

Ci-joint, n'accompagne pas le nom, il est adverbe.

c) *J'ai acheté **quelques** livres.*

Quelques précède le nom, il est donc déterminant et il s'accorde avec *livres.*

d) ***Quelque** grandes que soient ses énergies, il ne saurait réussir son examen.*

Quelque n' accompagne pas un nom, il est adverbe.

e) *Ce sont **leurs** livres.*

Leurs précède le nom, il est donc déterminant et il s'accorde avec *livres.*

f) *Je **leur** donne ces livres.*

Leur devant un verbe est invariable.

A - LE VERBE

I. ACCORD DU VERBE AVEC SON SUJET

1. Plusieurs sujets de personnes différentes

1. ***Toi** et **moi** irons en voyage.*
2. ***Paul** et **toi** partirez demain.*

Quand un verbe a plusieurs sujets de personnes différentes, le verbe se met au pluriel: 1. La première personne l'emporte sur la deuxième 2. et la deuxième personne l'emporte sur la troisième.

2. Plusieurs sujets synonymes ou placés en gradation

1. *Son regard, son sourire me comblait.*
2. *La patience, la persévérance, l'acharnement au travail lui a valu le succès.*

Quand un verbe a plusieurs sujets: 1. qui sont **synonymes** 2. ou qui sont placés en **gradation**, le verbe s'accorde avec le dernier.

Faites accorder les verbes en italique.

1. Une parole, un geste *étai*........suffisant.
2. L'alcool et la vitesse lui *coûter (pass.comp.)* la vie.
3. L'ennui, la fatigue, le désespoir lui *fu*.......fatal.
4. Pierre et Paul *partir (ind. prés.)* immédiatement.
5. Louise et toi *revenir (fut. simp.)* demain.
6. Jean et moi *gagner (pass. comp.)* un prix.

---

3. Plusieurs sujets résumés par un mot

*La famine, l'épidémie, la guerre, **tout** s'abattait sur le pays.*

Quand un verbe a plusieurs sujets qui sont repris par **un seul mot**, le verbe s'accorde avec ce dernier sujet.

4. Le sujet est le pronom qui

*C'est vous **qui** avez acheté cette bicyclette.*

- ***qui** remplace **vous**.*

Lorsque le sujet est un pronom relatif, le verbe s'accorde avec le mot que le pronom relatif remplace.

Faites l'accord des verbes suivants.

1. Les femmes, les vieillards, les enfants, chacun *(prendre - imparfait)* une part du butin.
2. Un film, un livre, une conférence, tout *(pouvoir - imparfait)* l'intéresser.
3. On se moque de toi qui *(être)* honnête; poutant c'est lui qui *(devoir - conditionnel)* être méprisé.
4. Les étudiants qui *(travailler - présent)* réussiront.

5. Pour accorder le verbe, il faut surveiller le sens de la phrase.

1. ***Les notes*** *du bulletin sont élevées.*

   Ce sont les notes et non le bulletin qui sont élevées.

2. *Paul* ***ou*** *Pierre devra se sacrifier.*

   L'un ou l'autre devra se sacrifier.

3. ***Ni Paul ni Pierre*** *ne partiront.*

   Les deux ne partiront pas.

4. *Dans la forêt, se cachent* ***les bandits****.*

   Le sujet *bandits* est placé en inversion.

5. ***La plupart*** *des élèves ont réussi leurs examens.*

   Lorsque le sujet est *la plupart*, le verbe prend la marque du pluriel.

6. ***Le surplus*** *des livres fut remis au professeur.*

   Lorsque le sujet est *le surplus*, le verbe se met au singulier.

Écrivez correctement les verbes en italique.

1. Ni Paul ni Pierre ne *(devoir - futur)* partir.
2. La foule des badauds *fu... dispersé...* rapidement.
3. La plupart des touristes *(est, sont) parti.*
4. Le reste des cadeaux *fut... donné...* aux pauvres.
5. Les trois quarts du Globe *(être couvert)* d'eau.

II. L'ORTHOGRAPHE DE CERTAINS VERBES

1. Les verbes en **ger** prennent un **e** devant **a, o, u.**

   nous mangeons

2. Les verbes en **cer** prennent une cédille sous le **c** devant **a, o, u.**

   nous berçons

3. Les verbes en **yer** changent l'**y** en **i** devant un **e** muet.

   nettoyer — *je nettoie*

4. Les verbes en **ayer** peuvent conserver le **y** devant un **e** muet.

   payer — *je paye* — *je paie*

5. Les verbes en **eler** doublent le **l** devant un **e** muet.

   appeler — *j'appelle*

   Sauf: celer, ciseler, congeler, déceler, démanteler, écarteler, geler, marteler, modeler, peler, receler

   qui changent le **e** muet de l'avant-dernière syllabe de l'infinitif en un **è** ouvert devant une syllabe muette.

   geler — *je gèle*

Écrivez correctement les verbes suivants.

1. lancer	(ind. imparf.)	je
2. manger	(ind. prés.)	tu
3. payer	(ind. prés.)	il
4. peler	(ind. prés.)	je
5. aboyer	(ind. prés.)	tu
6. congeler	(ind. prés.)	tu
7. balayer	(ind. prés.)	tu
8. nettoyer	(ind. imparf.)	nous
9. se noyer	(ind. prés.)	il se
10. se noyer	(ind. prés.)	ils se

II. L'ORTHOGRAPHE DE CERTAINS VERBES (SUITE)

6. Les verbes en **eter** doublent le **t** devant un **e** muet.

jeter	*je jette*

Sauf: acheter, crocheter, fureter, haleter, racheter qui changent le **e** muet de l'avant-dernière syllabe de l'infinitif en un **è** ouvert, devant une syllabe muette.

acheter	*j'achète*

7. Les verbes qui ont un **e muet** à l'avant-dernière syllabe de l'infinitif (semer), ou un **é fermé** (protéger), changent le **e** ou le **é** en un **è** ouvert, devant une syllabe muette.

je sème	*je protège*

8. Cependant les verbes qui ont un **é fermé** à l'avant-dernière syllabe de l'infinitif conservent cet **é** au futur et au conditionnel.

protéger	*je protégerai*	*je protégerais*

9. Les verbes en **indre** et en **soudre** ne conservent le **d** qu'au futur et au conditionnel.

peindre	*je peins*	*je peindrai*
résoudre	*je résous*	*je résoudrai*

10. Les verbes en **aître** et en **oître** conservent l'accent circonflexe sur la voyelle **i** du radical devant un **t**.

paraître	*il paraît*	*il paraissait*

Écrivez correctement les verbes suivants.

1.	jeter	(ind. prés.)	je
2.	révéler	(ind. prés.)	tu
3.	révéler	(fut. simple)	tu
4.	se récréer	(fut. simple)	je me
5.	résoudre	(ind. prés.)	je
6.	résoudre	(fut. simple)	je
7.	plaindre	(ind. prés.)	je te
8.	connaître	(ind. prés.)	il
9.	connaître	(cond. simple)	il
10.	plaire	(ind. prés.)	s'il vous

---

11. Participe présent, adjectif verbal

1. *Les enfants, **obéissant** à leur maître, étudiaient avec ardeur.* (qui font l'action d'obéir)

Le mot qui se termine par **ant** est participe présent quand il exprime une action; il est alors invariable.

2. *Les enfants **obéissants** seront récompensés.*

Le mot qui se termine par **ant** est adjectif verbal quand il exprime une qualité, et il s'accorde. On peut alors le remplacer par un autre adjectif.

3. Il y a parfois une différence d'orthographe entre le participe présent et l'adjectif verbal.

Participe présent	**Adjectif verbal**
communiquant	communicant
convainquant, fatiguant	convaincant, fatigant
extravaguant, différant	extravagant, différent
excellant, précédant, violant	excellent, précédent, violent
négligeant	négligent

Écrivez correctement les verbes en italique.

1. Ils se sont blessés en *travaillant.*
2. Les loups, *hurlant* de fureur, le dévorèrent.
3. Les enfants sont très *obéissant.*
4. En se *négligeant*, ces étudiants ne sont pas devenus *exigeant.*

III. PARTICIPES PASSÉS

1. Participe passé employé sans auxiliaire

Rendus au lac, Paul et Louise se baignèrent.

- ***Rendus** s'accorde avec Paul et Louise.*

Le participe passé employé sans auxiliaire s'accorde avec le nom auquel il se rapporte.

2. Participe passé employé avec l'auxiliaire être

*Nous sommes **partis** de bonne heure.*

*Nous sommes **satisfaits**.*

Le participe passé (ou l'adjectif) employé avec l'auxiliaire être s'accorde avec le sujet du verbe être.

Faites accorder les participes passés suivants.

1. Les terres *labouré* seront *ensemencé*.
2. *Rendu* à destination, les vieillards descendirent.
3. Les vitres *brisé* seront *réparé*.

Faites accorder l'attribut.

4. Nous sommes *fier* de toi.
5. Ils resteront *enfermé* trois jours.
6. Les travailleurs se sentent *fatigué*.

3. Le participe passé employé avec l'auxiliaire avoir

1. *Les élèves ont **étudié**.*
2. *Les élèves ont **étudié** (leurs leçons).*
3. *Les leçons (que) les élèves ont **étudiées** étaient assez faciles.*
4. *Ces leçons, les élèves (les) ont **étudiées**.*

1. Le participe passé employé avec avoir ne s'accorde pas s'il n'y a pas de complément direct dans la phrase.

2. Le participe passé employé avec avoir ne s'accorde pas si le complément direct est placé après le verbe.

3-4. Le participe passé employé avec avoir s'accorde avec le complément direct si ce dernier est placé avant le verbe. Dans ce cas, le complément direct est, la plupart du temps, le pronom **que** ou les pronoms ***le***, ***la***, ***les***, ***l'***.

Faites accorder les participes passés suivants.

1. L'étudiant a *fait* des efforts.
2. Les efforts que l'étudiant a *fait* seront récompensés.
3. Ces succès, les étudiants les ont bien *mérité*.
4. Marie-Claude a *lu* trois livres cette semaine.
5. Les prisonniers ont toujours *espéré*.

4. Le participe passé suivi d'un infinitif

1. *Les chasseurs que j'ai **vus** chasser étaient habiles.*

que est complément de **ai vus**.

- On peut dire: *Les chasseurs chassaient.*

2. *Les perdrix que j'ai vu chasser étaient agitées.*

que est complément de **chasser**.

- On ne peut dire: *Les perdrix chassaient.*

1. Dans le premier exemple, **que** est complément direct de **ai vus**, alors **vus** s'accorde parce que le complément direct précède le verbe. On peut alors dire: *Les chasseurs chassaient.*
2. Dans le deuxièmme exemple, **que** est complément direct de **chasser**, et **chasser** est complément direct de **ai vu**.
   - **Vu** est invariable puisque le complément direct **chasser** est placé après le verbe.
   - On ne peut dire: *Les perdrix chassaient.*

Faites accorder les participes passés suivants.

1. Ces étudiants que j'ai *vu* étudier réussiront.
2. Les arbres que j'ai *vu* abattre étaient grands.
3. Les hommes que j'ai *vu* tomber étaient de grands hommes.
4. Les joueurs que j'ai *vu* jouer sont habiles.
5. Je les ai *vu* passer, ces militaires.

---

5. Attendu, compris, entendu, excepté, vu, etc.

Vu *votre situation, vous devez vous taire.*

Votre situation, je l'ai bien ***vue****.*

Certains participes passés, selon leur position dans la phrase, sont parfois employés comme préposition; la plupart du temps, ils sont alors placés devant le groupe nominal et restent invariables.

6. Coûte, valu, pesé, valoir, vivre, dormir, mesurer, etc.

Il ne faut pas prendre certains compléments circonstanciels pour des compléments directs.

Les ***trois dollars*** *que ce livre m'a* ***coûté****, représentent un prix raisonnable.*
Ce livre m'a coûté (combien?) Trois dollars.

Trois dollars est un complément circonstanciel. *Coûté* est invariable parce que le participe passé employé avec l'auxiliaire avoir reste invariable s'il n'a pas de complément direct qui le précède.

Faites accorder les participes passés en italique.

1. *Vu* ces conditions, nous ne viendrons pas.
2. La semaine *passé*, il a récolté ses pommes.
3. Les années qu'il a *vécu* furent bien remplies.
4. Les livres qu'il a *acheté* valent un grand prix.
5. Les livres qu'il a *pesé* seront expédiés par la poste.

---

7. Dû, dit, cru, su, pu, voulu, etc.

*Il a reçu la somme qu'il a **voulu** obtenir.*

Qu' est complément d'objet du verbe *obtenir*.
Obtenir est complément d'objet de *voulu*. - Le participe passé employé avec avoir demeure invariable si le complément direct est placé après le verbe.

Les participes passés dû, dit, etc. demeurent invariables lorsqu'ils sont suivis d'un infinitif ou d'une proposition à sous entendre après eux.

8. Ci-joint, ci-inclus, ci-annexé, etc.

1. ***Ci-joint**, vous trouverez les pièces justificatives demandées.*

2. *Les pièces **ci-jointes** sont des documents précieux.*

1. *Ci-joint*, *ci-inclus* sont invariables quand ils ont une valeur adverbiale; ils accompagnent alors le verbe ou ils sont placés au début de la phrase.
2. Quand ils sont épithètes, ils varient; ils accompagnent alors le nom.

Faites accorder les mots en italique.

1. Vos comptes sont *du*.
2. Le guide m'a donné tous les renseignements que j'ai *voulu*.
3. Ces histoires, nous ne les avons pas *cru*.
4. *Ci-joint*, vous trouverez les deux derniers procès-verbaux de l'année.
5. Vous me retournerez la copie *ci-inclus*.

9. Participe passé des verbes pronominaux

1. Le participe passé des verbes pronominaux à sens passif s'accorde avec le sujet du verbe.

   Ces pommes se sont bien vendues.

2. Le participe passé des verbes pronominaux réfléchis ou réciproques s'accorde avec le pronom complément direct si ce dernier précède le verbe.

   Ils se sont livrés à la justice.

   • On substitue le verbe avoir au verbe être:
   Ils ont livré qui? - *se (eux-mêmes)*
   Le complément direct ***se*** précède le verbe.

3. Le participe passé des verbes pronominaux demeure invariable s'il y a un complément direct placé après le verbe.

   Ils se sont donné des cadeaux.

   • On substitue le verbe avoir au verbe être:
   Ils ont donné quoi? des cadeaux.
   Se est alors complément indirect.

• Le participe passé des verbes essentiellement pronominaux (qui ne se conjuguent qu'à la forme pronominale) s'accorde toujours, sauf: s'arroger.

• ***On peut retenir la règle suivante***:
Il suffit que le pronom réfléchi ne soit pas un complément d'objet indirect pour que le participe passé des verbes pronominaux soit variable.
Sauf pour les verbes suivants: se rire, se plaire, se déplaire, se complaire.
(voir le Bon Usage, Grévisse, 8e éd., No 798)

Faites accorder les participes passés suivants.

1. Ces livres sont déjà *vendu.*
2. Nous nous sommes *imposé* des sacrifices.
3. Ils se sont *nui.*
4. Nous nous sommes *assuré* de provisions pour le voyage.
5. Nous nous sommes *assuré* de l'exactitude de cette rumeur.

---

10. Autres participes passés

1. Le participe passé précédé de l'adverbe **en** demeure invariable.

   *Des tempêtes, j'**en** ai vu.*

2. Le participe passé des verbes impersonnels demeure invariable.

   *Les trois heures **qu'il a neigé** m'ont paru bien courtes.*

3. Suivi d'un infinitif, **fait** est toujours invariable.

   *Nous les avons **fait** partir.*

4. Précédé du pronom neutre **le** (lorsqu'il signifie cela), le participe passé est invariable.

   *Ces élèves sont plus intelligents que je ne **l'**avais **cru**.*

5. *Les **notes** du bulletin que j'ai **transcrites** étaient excellentes.*

   *Ce groupe **d'élèves** que j'ai **surveillé** était discipliné.*

   Le participe passé varie selon le sens que l'on veut donner à la phrase, il s'accorde avec le nom collectif ou avec les éléments qui constituent le groupe.

Faites accorder les participes passés en italique.

1. Les travaux que j'ai *fait* commencer la semaine passée sont maintenant terminés.
2. Les travaux que j'ai *fait* sont bien réussis.
3. De telles crises j'en ai bien *vu*.
4. Les deux jours *qu'il a plu* ont été bien longs.

B. LE NOM

I. NOMBRE DES NOMS

1. Les noms en **al** forment leur pluriel en **aux**.

   Sauf: *bal, bancal, cal, cérémonial, choral, carnaval, chacal, festival, naval, pal, récital, régal qui prennent un s au pluriel.*

2. Les noms en **eau, au, eu** prennent un **x** au pluriel.

   Sauf: *landau, sarrau, bleu, pneu qui prennent un s au pluriel.*

3. Les noms en **ail** prennent un s au pluriel.

   Sauf: *bail, corail, émail, soupirail, travail, vantail, vitrail qui forment leur pluriel en aux.*

   Bercail et *bétail* ne prennent pas de s au pluriel.

4. Les noms en **ou** prennent un s au pluriel.

   Sauf: *bijou, caillou, chou, genou, hibou, joujou, pou qui prennent un* **x** *au pluriel.*

5. *Aïeul, ciel, oeil* font au pluriel: *aïeux, cieux, yeux.*

   Cependant dans certaines expressions, ils prennent un s au pluriel:
   Les aïeuls (grands-parents)
   Les ciels de lit (ornement)
   Les oeils-de-boeuf (fenêtre)

Mettez au pluriel les noms suivants.

1. chou	6. mal
2. travail	7. pneu
3. cheval	8. sou
4. caillou	9. détail
5. sarrau	10. bail

---

6. Pluriel des noms composés

1. Dans les noms composés, seuls le nom et l'adjectif peuvent prendre la marque du pluriel.

Des sourds-muets
Des coffres-forts
Des choux-fleurs
Des passe-droits (*Passe* est un verbe.)
Des gardes-chasse (Quand *garde* désigne une personne, il s'accorde.)
Des garde-fous (*Garde* est un verbe. - *Garde* est invariable s'il ne représente pas une personne.)
Des appuis-tête (Chacun a une tête.)
Des casse-tête

2. Quand deux noms sont joints par une préposition, le premier seulement prend la marque du pluriel.

Des arcs-en-ciel
Des coups-de-poing

Mettez au pluriel les noms composés.

1. un grand-père
2. un chef-d'oeuvre
3. un brise-glace
4. un casse-tête
5. un coupe-légumes

---

7. Pluriel des noms propres

1. Les noms propres ne prennent pas la marque du pluriel.

*Les **Lebrun** sont riches.*

2. Lorsque les noms propres désignent, non les personnes elles-mêmes, mais des personnes qui leur ressemblent, ils prennent la marque du pluriel.

*Les **Papineaux** sont rares de nos jours.*

3. Les noms étrangers prennent la marque du pluriel quand ils sont employés régulièrement en français.

un agenda	*des agendas*
un alinéa	*des alinéas*
un recto	*des rectos*
un concerto	*des concertos*

Faites accorder les noms propres.

1. Les *Martin* sont des gens expérimentés.
2. Les *Napoléon* furent de grands militaires.
3. Il y a quatre *Champlain* qui assistent à l'assemblée.
4. Les *Galarneau* prennent part au concours.
5. Les *Napoléon* sont rares de nos jours.

II. LE GENRE DES NOMS

1. On forme le féminin des noms en ajoutant un **e** au masculin.

un ami	*une amie*
un candidat	*une candidate*

2. Les noms en **eur** forment leur féminin en **euse.**

un vendeur	*une vendeuse*
un pêcheur	*une pêcheuse*

Quelques noms en eur ont un féminin en eresse.

un bailleur	*une bailleresse*
un vengeur	*une vengeresse*
un demandeur	*une demanderesse*
un pécheur	*une pécheresse*
un défendeur	*une défenderesse*

3. Les noms en **teur** forment leur féminin en **trice.**

un acteur	*une actrice*
un animateur	*une animatrice*

4. Les noms en **er** ont leur féminin en **ère.**

un fermier	*une fermière*

Donnez l'équivalent féminin des noms suivants.

1. Un *berger*
2. Un *voleur*
3. Un *juif*
4. Un *auditeur*
5. Un *empereur*

II LE GENRE DES NOMS (SUITE)

5. Les noms en **ien** et **ion** doublent le **n** au féminin.

un gardien	*une gardienne*
un lion	*une lionne*

6. Les noms en **an** et **in** prennent un **e** au féminin, il ne doublent pas le **n**.

un cousin	*une cousine*

Parmi les noms en **an**, seuls paysan et Jean doublent le **n** au féminin.

un paysan	*une paysanne*
Jean	*Jeanne*

7. Les noms en **eau** et en **el** ont un féminin en **elle**.

un jumeau	*une jumelle*
Marcel	*Marcelle*

8. Certains noms ont une forme entièrement différente au masculin et au féminin .

un âne	*une ânesse*
un compagnon	*une compagne*
un copain	*une copine*
un fils	*une fille*
un héros	*une héroïne*
un loup	*une louve*
un maître	*une maîtresse*
un métis	*une métisse*
un neveu	*une nièce*
un roi	*une reine*
un serviteur	*une servante*

II LE GENRE DES NOMS (SUITE)

9. Les noms en **f** ont un féminin en **ve.**

un veuf	*une veuve*

10. Les noms en **x** ont un féminin en **se.**

un époux	*une épouse*

11. Les noms en **et** ont un féminin en **ette.**

un muet	*une muette*

12. Les noms en **c** ont un féminin en **que**

un Turc	*une Turque*

Cependant **Grec** conserve le **c** au féminin: **Grecque.**

Donnez l'équivalent féminin des noms suivants.

1. un musicien
2. un artiste
3. un paysan
4. Gabriel
5. un oncle
6. un artisan
7. un âne
8. Marcel
9. un peintre
10. un héros

---

13. Amour, oeuvre, gens

a) Amour

a) **Amour** est généralement masculin.

L'amour d'une mère pour son fils est sacré.

b) On met le mot **amour** au féminin losqu'il est employé au pluriel et qu'il a le sens d'une passion.

De folles amours font souvent souffrir.

En poésie, **amour** est ordinairement employé au féminin.

b) Oeuvre

a) **Oeuvre** est généralement au féminin.

*Faites de **bonnes** oeuvres*

b) **Oeuvre** est masculin quand il désigne l'ensemble d'une bâtisse.

*Le gros oeuvre est **terminé**.*

c) **Oeuvre** est masculin quand il désigne l'ensemble des oeuvres d'un auteur.

*J'ai écouté l'oeuvre **entier** de Mozart.*

c) Gens

Le mot **gens** est masculin. Cependant si un adjectif est placé immédiatement devant le nom **gens** et s'il n'a pas la même terminaison pour les deux genres, on met au féminin cet adjectif et tous ceux qui précèdent dans la même phrase.

*J'avais une bonne opinion de ces **courageuses et bonnes** gens.*
*J'avais une bonne opinion de ces **bons et honnêtes** gens.*

Faites l'accord qui s'impose.

1. Kamouraska est *un bel* oeuvre.
2. J'ai lu l'oeuvre *complet* de Nelligan.
3. Nous avons rencontré des gens très *heureux*.
4. *Les honnête*, *innocent et beau* gens sont *heureux*.
5. L'amour de ma fille m'est *précieux*.

C. L'ADJECTIF

1. Nombre des adjectifs

1. On forme le pluriel des adjectifs en ajoutant un **s** au singulier.

   Une remarque délicate — *Des remarques délicates*

2. Les adjectifs en **al** forment leur pluriel en **aux**.

   Un conte **moral** — Des contes **moraux**

   Sauf: *bancal, boréal, fatal, final, glacial, jovial, natal, naval, banal qui forment leur pluriel en **als**.*

   Des froids glacials

3. Les adjectifs **beau, nouveau, jumeau, hébreu** prennent un **x** au pluriel.

   Des **beaux** nuages

Faites accorder les adjectifs en italique.

1. Des étudiants *attentif*
2. Des combats *naval*
3. Des frères *jumeau*
4. Des examens *final*
5. Des drapeaux *royal*

---

4. Demi, semi, nu, mi

1. **Demi, semi, nu, mi** sont invariables losqu'ils sont placés devant le nom et ils s'y joignent par un trait d'union.

Trois demi-pommes
Il est nu-pieds. (il a deux pieds)
Il est nu-tête. (il a une tête)

2. **Demi, semi, nu, mi** s'accordent en genre seulement lorsqu'ils sont placés après le nom.

Trois pommes et demie (et une demie)
Trois heures et demie

À demi est invariable. Il ne prend le trait d'union que devant un nom. On écrit:

Une armoire à demi remplie
Des hommes à demi morts
Des enfants à demi nus

3. **Possible** est invariable précédé de **le plus** ou de **le moins.**

Nous compterons **le plus** de buts **possible.**

Faites accorder les mots en italique.

1. Elles sont *nu...pieds.*
2. Trois heures et *demi...*
3. Quatre *demi*....heures.
4. Il se promenait tête *nu*....
5. J'irai vous voir à la *mi*....janvier.

---

5. Pluriel des adjectifs désignant la couleur

1. Les adjectifs qui désignent la couleur s'accordent avec le nom qu'ils qualifient.

   *des fleurs **rouges***

2. Les noms employés comme adjectifs pour désigner la couleur demeurent invariables.

   *des robes **orange*** (orange peut également être un fruit)

   Mais **rose, mauve, pourpre, écarlate** prennent un s au pluriel.

   *des robes **roses***

3. Les adjectifs composés qui indiquent la couleur restent invariables.

   *des habits **bleu foncé***

6. Pluriel des adjectifs composés

Dans l'adjectif composé, seuls l'adjectif et le nom varient.

*Des enfants **sourds-muets**.*

*Les **avant-dernières** pages* (*avant* est préposition).

*Les enfants **nouveau-nés*** (*nouveau* est adverbe: nouvellement).

on écrit cependant: Les enfants derniers-nés

Des gens bien-pensants (bien est adverbe)

Faites accorder les mots en italique.

1. Des souliers *marron*
2. Des chandails *mauve*
3. Des habits *rouge*
4. Des bourses *ocre*
5. Des oranges *aigre-douce*
6. Des *grand-mère*
7. Nous garderons les coutumes *canadienne-française*.
8. Les *dernier-né* devaient périr.

---

7. Vingt, cent, mille

1. Tous les nombres composés, inférieurs à cent, prennent un trait d'union.

   Vingt-trois

2. Sauf s'ils sont reliés par la conjonction *et*.

   Trente et un

3. **Vingt et cent**

   Vingt et *cent* prennent un s quand ils sont multipliés et qu'ils ne sont pas suivis d'un autre nombre.

   Quatre-vingt-cinq dollars
   Quatre-vingts pommes (4 x 20 = 80)

4.1 **Mille**

Lorsque **mille** indique un nombre, il est invariable.

*Trois **mille** dollars*
*J'ai marché trois **milles** (distance).*

4.2 Lorsque **mille** indique une date, il s'écrit de préférence **mil** quand il est suivi d'un ou de plusieurs autres nombres.

*L'an **mil** trois cent*
*L'an **mille***

5. **Millier, million, milliard** sont des noms et varient.

   *Trois **millions***

Écrivez en lettres les chiffres suivants.

1. *84*
2. *400* pommes
3. J'ai parcouru *350* milles.

II. Genre des adjectifs

1. On forme le féminin de l'adjectif qualificatif en ajoutant un **e** au masculin.

    un petit garçon — *une petite fille*

2. Les adjectifs en **gu** ont un féminin en **guë**.

    un son ***aigu*** — *une lance* ***aiguë***

3. Les adjectifs en **eau** et **ou** ont un féminin en **elle** et **olle**.

    beau — *belle*
    mou — *molle*

4. Les adjectifs en **el**, **eil** et **ul** font au féminin **elle**, **eille** et **ulle**.

    un ennemi ***cruel*** — *une compagne* ***cruelle***
    un effort ***nul*** — *une partie* ***nulle***
    un rouge ***vermeil*** — *une couleur* ***vermeille***

5. Les adjectifs en **ien** et **on** doublent la consonne finale.

    un château ***ancien*** — *une maison* ***ancienne***
    un homme ***bon*** — *une femme* ***bonne***

Faites l'accord qui s'impose.

1. Une *grand...* armée
2. Les richesses *temporel...*
3. Les élèves prennent parfois des attitudes *théâtral.....* .
4. C'est une vieille maison *canadien....* .
5. Une réponse *ambigu...*

GENRE DES ADJECTIFS (SUITE)

6. Les adjectifs en **an** forment leur féminin en **ane**.

   *un esprit **partisan*** — *une opinion **partisane***

   Sauf: *un labeur **paysan*** — *une vie **paysanne***

7. Les adjectifs en **er** forment leur féminin en **ère**.

   *un homme **étranger*** — *une femme **étrangère***

8. Les adjectifs en **eur** forment leur féminin en **euse**.

   *un garçon **railleur*** — *une fille **railleuse***

   Sauf: antérieure, extérieure, inférieure, majeure, meilleure, mineure, postérieure, ultérieure, supérieure, intérieure.

9. Les adjectifs en **c** forment leur féminin en **que**.

   turc — *turque*
   grec — *grecque* (*grec* conserve le *c* au féminin.)

   sauf: *blanc*, *franc*, et *sec* qui font au féminin *blanche*, *franche* et *sèche*.

10. Les adjectifs en **f** forment leur féminin en **ve**.

    *un esprit **vif*** — *une réplique **vive***

11. Les adjectifs en **et** forment leur féminin en **ette**.

    *un garçon **muet*** — *une fille **muette***

    Sauf: *concret, complet, incomplet, désuet, discret, indiscret, inquiet, replet, secret, qui forment leur féminin en **ète**.*

    *un garçon **discret*** — *une fille **discrète***

GENRE DES ADJECTIFS (SUITE)

12. Les adjectifs en **s** et **x** forment leur féminin en **se**.

un pantalon ***gris***	*une robe* ***grise***
un garçon ***heureux***	*une fille* ***heureuse***

Sauf:

doux	*douce*
faux	*fausse*
roux	*rousse*
vieux	*vieille*
frais	*fraîche*
tiers	*tierce*

- Les adjectifs *bas*, *gras*, *las*, *épais*, *gros*, etc. doublent le **s** au féminin.

  une clôture ***basse.***

Faites l'accord qui s'impose.

1. Une femme *franc...*
2. Une action *antérieur...*
3. Une ponctualité *régulier...*
4. Une femme *roux...*
5. Ce sont des habitudes *turc...*

D. LA PONCTUATION

1. Le point

Le point indique la fin d'une phrase.

L'abbé regarda malicieusement la mère.

Eugénie Grandet, p. 49

2. Point d'interrogation

Le point d'interrogation s'emploie après la phrase interrogative.

Quoi! Rome donc triomphe?
Quel état de vertu trouvez-vous en sa fuite?

Horace, p. 84

3. Point d'exclamation

Le point d'exclamation s'emploie après une phrase exclamative.

Quel transport! Quelle joie! Ah! que mon sort est doux!
les Femmes savantes, p. 86

Mettez le signe de ponctuation qui s'impose.

C'est grave_ Je n'ai pas le courage de l'instruire.
Toi_Pipio_ elle t'écoutera mieux
Pauvre petite_
La mère est songeuse_ Lui demande:
Tu penses qu'elle va là_

Allegro, p. 57

---

4. Virgule

1. La virgule s'emploie pour séparer les éléments semblables qui ne sont pas unis par une conjonction.

Opiniâtre, minuscule, patient et rusé, (...) Jos Carbone avançait dans la nuit.

Jos Carbone, p. 7

2. On met une virgule quand les conjonctions *et* et *ou* unissent plusieurs éléments.

*Parce que les événements, on les commande, pensait Rivière, **et ils obéissent, et on crée.***

Vol de nuit, p. 83

3. On peut séparer par une virgule les propositions courtes.

Paul travaille, Pierre joue, Luc étudie.

4. On met la virgule après le complément circonstanciel placé au début de la phrase.

***Un soir**, un homme revient chez lui.*

Jolis deuils, p. 77

- Ordinairement, on omet la virgule si le complément circonstanciel en inversion est court.

***Ici** tout va bien.*

Mettez la virgule au bon endroit.

1. De tout temps les empereurs ont admiré leurs portraits s'ils étaient grands.

Jolis deuils, p. 29

2. Apprenez sotte à vous énoncer moins vulgairement.

les Précieuses Ridicules, p. 50

3. Je rêve de perdre à jamais dans la campagne toutes les affaires d'Antoine. Ses pipes ses bouteilles ses fusils ses vestes ses chemises ses ceintures et ses bretelles.

Kamouraska, p. 119

4. Virgule

5. On met une virgule après les mots mis en **apostrophe**.

__Seigneur__, honorez moins une faible conquête.

Iphigénie, p. 46

6. On met une virgule avant les mots: **car, mais.**

Je travaille, __car__ je veux réussir.

7. On met entre virgules **les propositions** participiales.

Albert, __poussé par la franchise__, voudrait le retenir encore un peu.
le Vent du diable, p. 73

Mettez la virgule au bon endroit.

1. Mon Dieu! ma chère que ton père a la forme enfoncée dans la matière.
les Précieuses Ridicules, p. 50
2. Il n'y aura pas de neige mais seulement une grosse pluie glaciale car le vent est tombé.
le Vent du diable, p. 71
3. La fraîcheur du matin embaumée par la rosée nous surprend.

---

4. Virgule

8. On met entre virgules tout élément qui a une valeur explicative dans une phrase.

a) **L'apposition**

*Dans la cabane de Jim, **le chauffeur de taxi**, le téléphone sonne sans répit.*

Poussière sur la ville, p. 11

b) **Un complément circonstanciel en inversion**

*"Tas de lâches! disait-il, qui, **dans le péril commun**, n'ont pas de coeur au-delà de leurs clôtures."*

Menaud maître-draveur, p. 136

c) **Une proposition complément du nom ou épithète qui a une valeur explicative.**

*Les joueurs, **qui ont un chadail rouge**, sont habiles. (Tous les joueurs ont un chandail rouge.)*

*Les joueurs **qui ont un chandail rouge** sont habiles. (Une partie des joueurs seulement ont un chandail rouge.)*

9. On met entre virgules les propositions incises.

*Il n'y a point de réserves, **me dit Dutertre**, ça arrange tout...*

Pilote de guerre, p. 121

Mettez la virgule au bon endroit.

1. Elizabeth ma femme tu ne m'échapperas pas si facilement.
   Je reviendrai je te le promets.

   Kamouraska, p. 147
2. Le lendemain matin Meaulnes fut prêt un des premiers.

   le Grand Meaulnes, p. 62
3. À bas la calotte dit le Négus crispé.

   l'Espoir, p. 200

---

5. Point-virgule

1. Le point virgule sépare des propositions semblables qui ont une étendue moyenne; si elles sont courtes, elles sont séparées par la virgule.
2. Le point virgule sépare des propositions qui sont déjà séparés par une virgule.

Paul, Pierre et Jacques jouent; Louise, Marie et Renée étudient.

6. Deux points

1. Les deux points s'emploient pour annoncer une citation ou une énumération.
2. On peut employer les deux points pour annoncer la conséquence, la cause, etc. .

Ses ailes, devenues des lignes, se perdirent dans la nuit du champ: l'obscurité s'accumulait à ras terre.

l'Espoir, p. 161

7. Points de suspension

1. Les points de suspension s'emploient pour remplacer des éléments qui manquent dans une phrase. On les emploie également pour indiquer que notre pensée n'est pas complètement exprimée.

Y a dix piasses que j'ai réussi à cacher, avoua-t-elle. Ton père est encore sans ouvrage...

Bonheur d'occasion, p. 208

Mettez le signe de ponctuation qui s'impose.

1. Ne retenez qu'une chose_ la petite violence que je m'apprête à vous faire subir n'a qu'un but_ rien de pire qu'une obsession qui emprunte le caractère d'un scrupule religieux_ moral_

la Joie, p. 141

2. Vous pensez beaucoup de mal, madame Fernande, trop de mal_ On ne doit pas_ on doit délivrer son coeur...

la Joie, p. 116

E. SYNTAXE PARTICULIÈRE

1. Tout

1. Lorsque *tout* est déterminant, il s'accorde.

   Tous *les enfants vont à l'école.*
   Toute *excuse sera refusée.*

2. *Tout* peut être pronom indéfini.

   Tous *partirons.*
   Tout *peut arriver.*

3.1 *Tout* peut-être adverbe, il signifie alors entièrement.

J'ai acheté une robe ***tout*** *(entièrement) en laine.*
Elle était ***tout*** *(complètement) heureuse.*

3.2 Placé devant un adjectif, *tout* est invariable.

Tout varie cependant devant un adjectif féminin commençant par une consonne ou un **h aspiré**.

Elle est ***toute*** *blanche.*
Elle est ***toute*** *honteuse.*

4. *Tout* peut être un nom.

   Le ***tout*** est plus grand que la partie.

Accordez s'il y a lieu le mot tout.

1. Elle est *tout*..... joyeuse.
2. Le *tout*..... est mis dans la même boîte.
3. Il faut que nous y allions à *tout*..... prix.
4. Ces robes sont *tout*..... usagées.
5. Le bouquet qui est sur la table est *tout*..... en fleur.

---

2. Quelque, quel que

1. *Quelque* s'accorde lorsqu'il est déterminant.

*J'ai rédigé **quelques** poèmes.*

2. Lorsque *quelque* est adverbe, il est invariable.

*Nous sommes à **quelque** trente pas.* (environ)
***Quelque** tristes que vous soyez...* (aussi)

3. *Quel que* s'écrit en deux mots lorsqu'il est placé devant le verbe être (ce dernier est alors au subjonctif). *Quel* est attribut et il s'accorde avec le sujet du verbe être.

***Quelle que** soit la raison, je refuse de parler.*

3. Même

1. **Même** varie lorsqu'il est déterminant: il signifie la ressemblance, la similitude, l'identité.

*Ce sont les **mêmes** enfants.*

- même est placé entre le déterminant et le nom.

2. **Même** peut être adverbe, il signifie **aussi, de plus**, etc.

***Même** les vieillards furent exilés.*

***Même** malades, ils travaillent.*

Dans les phrases suivantes remplacez les pointillés par quelque ou quel que et faites l'accord.

1. Après avoir fait... tours, il partit.
2. Depuis... temps, Carole mange à l'école.
3. ... soient vos exigences, j'accepterai ce travail.

Accordez s'il y a lieu le mot même.

4. Je dois refaire les *même* devoirs.
5. Elle fut élue, *même* si elle était absente.
6. Nous les reconnanderons *nous-même*.

---

4. Majuscules

1.1 Les noms de points cardinaux prennent une majuscule seulement lorsqu'ils désignent une région.

*Le vent est du **nord**.*
*Je demeure dans le **Nord**.*

1.2 On met une majuscule aux noms de pays, de villes, de fleuves, de montagnes et de peuples.

Le Canada, les Canadiens
Montréal, la Loire

2.1 **Monsieur, Madame...**

Monsieur prend une majuscule quand on s'adresse à la personne, et on n'abrège pas le mot.

*Bonjour **Monsieur**, Bonjour **Madame**,*

2.2 On abrège *Monsieur* et *Madame* lorsqu'on ne s'adresse pas à la personne.

*J'ai rencontré **Mme** Lalonde.*

Écrivez correctement les mots en italique.

1. Notre chalet est dans le *nord*.
2. La capitale de la *france* est *paris*.
3. Chère *madame* Lafortune,
4. *Monsieur Drapeau* fut le maire de Montréal.

5. Abréviation

1. Plusieurs mots s'abrègent en écrivant la première syllabe au complet plus la première lettre qui suit.

avenue: av. *fascicule: fasc.* *édition: éd.*

2. Quand une abréviation conserve la dernière lettre du mot abrégé, on ne met pas de point abréviatif.

Monseigneur: Mgr *Docteur: Dr* *Maître: Me* *Saint: St*

3. Les unités de mesures abrégées ne prennent pas de (.) sauf à la fin d'une phrase.

mètre	*m*	*gramme*	*g*
décimètre	*dm*	*décigramme*	*dg*
centimètre	*cm*	*centigramme*	*cg*
millimètre	*mm*	*milligramme*	*mg*
kilomètre	*km*	*kilogramme*	*kg*
litre	*l*	*année*	*a*
décilitre	*dl*	*jour*	*j*
centilitre	*cl*	*minute*	*mn*
millilitre	*ml*	*heure*	*h*
kilolitre	*kl*	*seconde*	*s*

Écrivez correctement l'abréviation des mots suivants.

1. boulevard
2. téléphone
3. et caetera etc
4. chapitre
5. numéro
6. compagnie

5.1. Liste de quelques abréviations

Aéroport	*Aér.*	*Etang*	*Etg*
Autoroute	*Aut.*	*Falaise*	*Fal.*
Avenue	*Av.*	*Municipalité*	*Mun.*
Boulevard	*Boul.*	*Route*	*Rte*
Canal	*Can.*	*Village*	*Vill*
Cul-de-sac	*C.-d.-s.*	*Ville*	*V.*

Ne pas abréger

Baie	*Cours*	*Parc*
Banc	*Forêt*	*Pont*
Camp	*Île*	*Rue*
Cap	*Lac*	
Champ	*Mont*	

Abréviation des noms de provinces et de territoires

Alberta	*Alb.*
Colombie-Britannique	*C.-B.*
Île-du-Prince-Edouard	*Î.-P.-É*
Manitoba	*Man.*
Nouveau-Brunswick	*N.-B.*
Nouvelle-Écosse	*N.-É.*
Ontario	*Ont.*
Québec	*Qc*
Saskatchewan	*Sask.*
Terre-Neuve	*T.-N.*
Territoires du Nord-Ouest	*T.N.-O.*
Territoire du Yukon	*Yn*

6. On, ont, ou, où, a, à

1. *Les enfants **ont** réussi.*

    Ont est le verbe avoir, on peut le remplacer par **avaient**.

2. ***On** est content.*

    On est pronom, on peut le remplacer par **Jean**.

3. *Cette maison **a** un bel aspect.*

    A est le verbe avoir, on peut le remplacer par **avait**.
    Il se prononce [ɑ].

4. *Je vais **à** la biliothèque.*

    À est préposition, il introduit un complément.
    Il se prononce [a].

5. *Paul **ou** Pierre viendra.*

    l'un ou l'autre (l'alternative)

6. *L'endroit **où** je suis, est gardé secret.*

    le lieu

Écrivez correctement.

1. Les éléves *on* bien mérité ce succès.
2. L'école *ou* va mon garçon *a* une bonne réputation.
3. Nous irons *a* Rome *ou* à Paris.

---

7. Ses, ces, c'est, s'est, sait

1. *L'arbre a perdu ses feuilles.*

   Ses indique un rapport d'appartenance entre l'arbre et les feuilles.

2. *Ces livres ont été trouvés.*

   Ces *indique des livres* ***déterminés****.*

3. ***C'est*** *la pluie qui m'ennuie.*

   C'est est le verbe être, on peut dire: c'était.

4. *Il* ***sait*** *tout.*

   Sait est le verbe savoir, on peut dire: il savait tout.

5. *Il* ***s'est blessé****.*

   S'est blessé: verbe se blesser.

8. Ne pas confondre

J'arrive à l'école **plus tôt** que mon professeur.
C'est un enfant **plutôt** frêle.

Je fus surpris de le voir arriver **aussi tôt**. (contraire d'aussi tard)
Je partirai **aussitôt** que vous me le direz. (dès que)

Il **croit**. (croire)
Il **croît**. (croître)

cour:	cour de récréation, tribunal
court:	terrain de tennis, - Il court.
cours:	mouvement des eaux, enseignement, Je cours.

Je mourrai,	je mourais. (mourir)
Je courrai,	je courais. (courir)

des fruits **mûrs**
le **mur** est blanc

Chaque enfant aura sa part. (déterminant)
Chacun aura sa part. (pronom)

Si vous venez, je serai content.
Il **s'y** prend mal.

9. Ne pas confondre

Donne-moi **ce** livre. (déterminant)
Ils **se** sont donné des cadeaux. (forme pronominale)

Je **leur** donne des livres. (pronom, - devant un verbe)
Ce sont **leurs** livres. (déterminant)

On aime ce professeur. (affirmation)
On n'aime **pas** celui-ci. (négation)
Ils **ont** terminé leur devoir.

Ni les réprimandes, ni les punitions ne l'ont fait changer. (négation)
N'y portez pas trop d'attention. (négation et pronom)

Il **s'en** moque. (pronoms)
C'est un **sans** gêne. (négation)

Il est **près** du professeur. (proche)
Il est **prêt** à partir. (sur le point)

Il est **peu** studieux. (quantité)
Il **peut** réussir. (pouvoir)

Quant à moi (pour ce qui est)
Quand vous voudrez. (temps)
Qu'en pensez-vous? (pronoms)

Quelques livres. (déterminant)
Quelles que soient vos raisons vous devez obéir. (devant le verbe être)
Quelque trente mille personnes (environ)

Mon livre est rouge.
Ils **m'ont** aidé.

Ton crayon est jaune.
Ils **t'ont** donné un crayon.

10. Ne pas confondre

Il **bénéficie.** (bénéficier - 1er groupe)
Il **définit.** (définir - 2e groupe)

Il a **fini.**
Il **finit.**
Fini le gaspillage.

Il a **fini.** (finie)
Il a **acquis.** (acquise)

Je vais vous **montrer.**
Vous **montrez** de la bonne volonté.

Il chantait, **tel** un rossignol.
Il obéissait, **telle** une brebis.

Le **champ** de blé est mûr.
Le **chant** des enfants est agréable.

Je **travaille** bien. (verbe)
Ce **travail** est bien fait. (nom)

La vérité **dont** [dɔ̃] vous m'avez entretenu m'est apparue évidente.
C'est **donc** [dɔ̃k] évident.

Mes élèves sont studieux.
Il **m'est** arrivé d'échouer.
Jouez, **mais** étudiez aussi.

11. Ne pas confondre

1. Je vais **parler**.
   Je tiens à **parler**.
   Je viens de **parler**.
   J'ai parlé. (le verbe *parler* précédé d'un auxiliaire)
   Je vais vous **parler**.

2. La meilleure façon pour reconnaître l'infinitif des verbes en **er**, c'est de le remplacer par un autre verbe à l'infinitif du 2e ou du 3e groupe.

   Je vais ***chanter***. (infinitif)
   Je vais ***vendre***. (infinitif)

   Ils ont ***acheté*** *des pommes*. (passé composé)
   Ils ont ***vendu*** *des pommes*. (passé composé)

Écrivez correctement les verbes suivants.

1. *Parler* c'est bien, se taire c'est mieux.
2. Ils vont *chasser* le gros gibier.
3. Les Canadiens ont *gagner* trois médailles d'or.
4. Je viens d'*acheter* deux livres.
5. Quand nous aurons terminé de *travailler*, nous nous reposerons.

12. Apostrophe

1. Jusque, lorsque, puisque, quoique, de, ne, que, prennent l'apostrophe devant une voyelle.

   ***lorsqu'on** viendra*

2. **Presque** prend l'apostrophe uniquement devant île.

   presqu'île

3. **Quelque** prend l'apostrophe uniquement devant **un**(e).

   quelqu'un

4. **Si** prend une apostrophe devant **il**(s).

   ***S'il** veut bien.*

13. Çà, ça, ç'a, cela, déjà, voilà, etc.

Oh **çà**! (interjection)

Çà pour qui me prenez-vous?

Çà et **là** (adverbe)

Ça ne vaut pas la peine. (pronom)

Cela semble intéressant. (pronom)

Voilà déjà la réponse.

en **deçà** du village

par-ci, par-là

au-delà de toute espérance

là (adverbe)

là-bas

jusque-là

Comment **ç'a été**. (cela)

ce livre-**ci**

ce garçon-**là**

14. Vocabulaire

parmi

Moyen Age

délai

canadien-français (adjectif)

Canadien français (nom)

adresse

langage

langue

quelques-uns

s'il vous plaît

chante-t-il?

événement

basse

rasé (un **s** entre deux voyelles se prononce **z**)

15. Vocabulaire

moins

ailleurs

alors

vacances

plusieurs

assez

lorsque

aujourd'hui

bonté

fumée

quatre dollars

rythme

racisme: nom (la théorie)

raciste: adjectif

raciste: nom (partisan du racisme)

adresse

ANNEXE

LA PHONÉTIQUE

1. Niveaux de langue

Il existe plusieurs niveaux de langue: la langue employée lors d'un discours télévisé n'est pas la même que celle qu'un élève utilise avec ses amis.

1. Niveau littéraire: *Veuillez vous taire.*
2. Niveau correct: *Gardez silence.*
3. *Niveau familier:* *Veux-tu la fermer.*
4. Niveau populaire: *Ferme ta gueule.*

- Les niveaux littéraire et correct sont surtout utilisés à l'écrit.
- Les niveaux familier et populaire sont surtout employés à l'oral.

Indiquez le niveau de langue des phrases suivantes.

1. Arrêtez donc un peu de vous disputer, chu fatiguée, moé.
   les Belles-soeurs, p. 57
2. Faudrait quand même pas exagérer.
   Ibid, p. 71
3. Nous avons reçu l'ordre de vous amener.
   De l'autre côté du mur, p. 50
4. Béatrice est au courant de ta liaison avec Karine?
   Ibid, p. 139

---

2. Voyelles

V. fermées
La bouche est plus fermée. La langue est plus élevée.

V. ouvertes
La bouche est plus ouverte. La langue est plus abaissée.

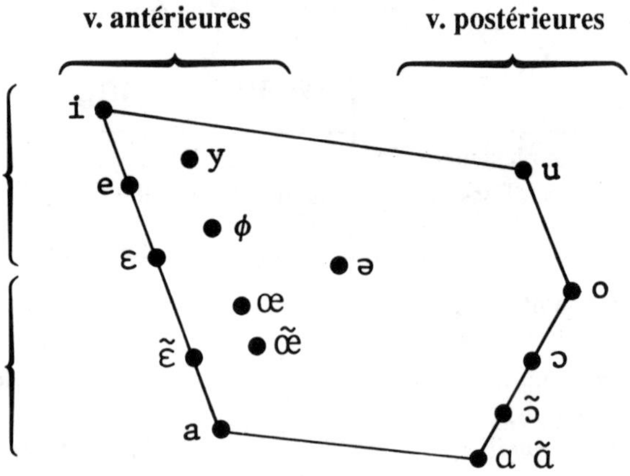

Voyelles antérieures **Voyelles postérieures**

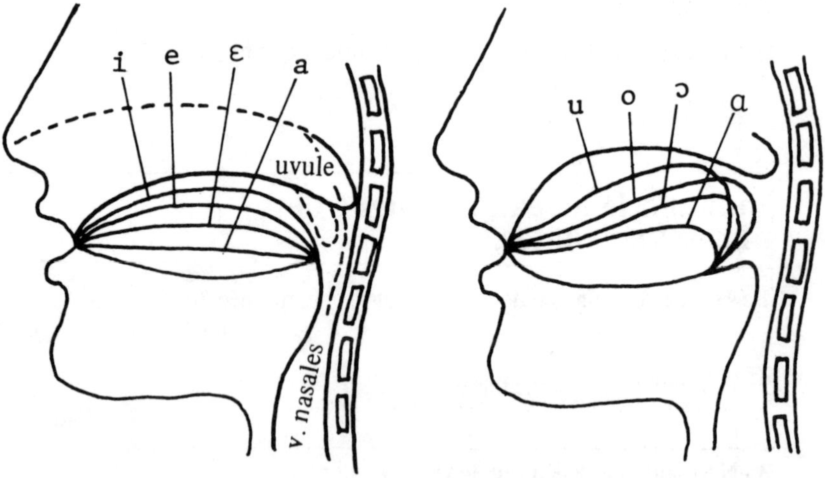

Voyelles nasales: Pour prononcer les voyelles nasales, l'uvule s'abaisse, permettant ainsi le passage de l'air dans la cavité nasale. Les autres voyelles sont appelées **voyelles orales**.

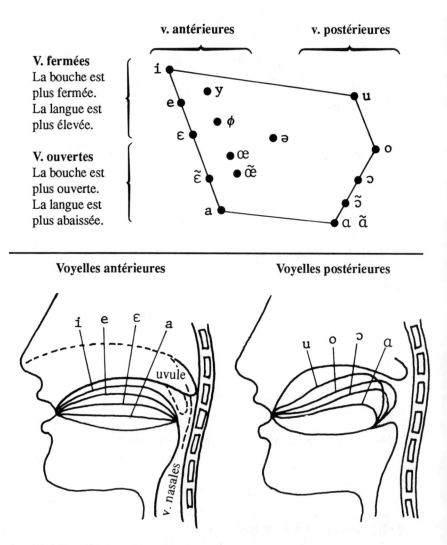

3. Alphabet phonétique international

Voyelles orales (12)

[i]	rime	[rim]	[o]	saute	[sot]
[e]	fée	[fe]	[u]	cou	[ku]
[ɛ]	mère	[mɛr]	[y]	lune	[lyn]
[a]	patte	[pat]	[ϕ]	feu	[fϕ]
[ɑ]	pâte	[pɑt]	[œ]	peur	[pœr]
[ɔ]	sotte	[sɔt]	[ə]	peler	[pəle

Voyelles nasales (4)

[ɛ̃]	fin	[fɛ̃]	[ɔ̃]	bon	[bɔ̃]
[ɑ̃]	dans	[dɑ̃]	[œ̃]	un	[œ̃]

Semi-voyelles (3)

[j] pied [pje]; [ɥ] huit [ɥit]; [w] oui [wi]

Consonnes (17)

[p]	pape	[pap]	[f]	fille	[fij]
[b]	bon	[bɔ̃]	[v]	vie	[vi]
[t]	tout	[tu]	[s]	ceux	[sϕ]
[d]	deux	[dϕ]	[z]	rasé	[raze]
[k]	quoi	[kwa]	[ʃ]	chien	[ʃjɛ̃]
[g]	gant	[gɑ̃]	[ʒ]	j'ai	[ʒe]
[m]	me	[mə]	[l]	la	[la]
[n]	nous	[nu]	[r]	roi	[rwa]
[ɲ]	agneau	[aɲo]			

- En phonétique, on transcrit ce qu'on prononce, il faut oublier l'écrit. Le plus souvent, on ne transcrit pas le *e* muet.

Transcrivez en phonétique.

1. Pipe, chaise, peur.
2. Je joue au ballon. Raccrocher.
3. Vous avez une orange. Polychrome.

---

4. Liaison, pause

Liaison

La liaison est l'enchaînement des phonèmes à l'intérieur d'un groupe de mots.

Il a mal à la tête.

- Il s'agit de lier la dernière consonne d'un mot avec la première voyelle du mot suivant.

Les amis *C'est écrit.* *Aucun(e) estime.*

Pause

La pause est un arrêt dans la voix.

a) **La pause est courte**: (/)
- à la virgule
- entre le sujet et le verbe
  sauf si le sujet est un pronom
- entre le verbe et le complément circonstanciel
- devant certains mots: et, ou, mais, car, qui, etc.

b) **La pause est de durée moyenne**: (//)
- au point-virgule
- aux deux points
- à la virgule et devant *et*, lorsque ces éléments séparent deux phrases qui sont assez longues

c) **La pause est de longue durée**: (///)
- au point d'interrogation
- au point d'exclamation
- aux points de suspension et au point

Être jaloux du sol tout entier, // vibrer tous / et chacun / à pleins bords de pays, // défendre le patrimoine de la dernière motte, // telle est la loi reçue, / telle, / la loi à transmettre. ///

Menaud maître-draveur, p. 137

Indiquez les liaisons et les pauses dans les phrases suivantes.

C'était avant qu'il ait décidé de régler ses comptes avec son ennemi personnel, et le grand Justin s'en était donné à coeur joie durant ces trois jours, lui infligeant, en toute impunité, les tourments les plus diaboliques.

Une chaîne dans le parc, p. 118

---

5. Accent, rythme

Accent

L'accent (´) est la mise en relief d'une syllabe, en la prononçant avec plus de force ou en l'allongeant.

1. L'accent normal porte sur la dernière syllabe du mot précédant une pause.

   Chaque soír, / il se promenaít / sur le pont du navíre. ///

2. L'accent d'insistance porte sur un mot auquel on veut donner plus d'importance.

   C'est íncroyable.

Rythme

Pour avoir une lecture agréable, il faut regrouper à l'intérieur de la phrase des groupes de mots et fixer l'accent.

Dimánche, / j'irai vous voír / à votre maison de campágne. ///

Indiquez l'accent et les pauses des phrases suivantes.

1. Asseyez-vous sur ce siège sans bouger.
2. Louise, notre championne, nage très bien cette année.
3. Je vous enverrai une douzaine de roses pour votre anniversaire.

6. Intonation

Le rythme et l'intonation donnent une certaine mélodie à la phrase. Le ton des phrases peut varier selon l'interprétation personnelle. Un sentiment de colère, de joie, d'anxiété peut faire varier le rythme des phrases. Le mouvement d'intonation peut monter ou descendre.

1. **Phrase déclarative**

   a) *J'irai au cinéma demain.*

   b) J'irai vous voir demain si mon travail est terminé.

   c) Avec lui, tout peut arriver.

2. **Phrase interrogative**

   a) Jouez-vous avec nous?

   b) Venez-vous avec nous?

   c) Vous jouez avec nous? (forme affirmative)

   d) Est-ce que vous jouez avec nous?
   (Parfois on pourra avoir le schème montant pour manifester un mouvement de colère ou un autre sentiment.)

   e) Qui joue avec nous?

3. **Phrase négative**

   Je ne travaille pas.

4. **Phrase impérative**

   Ferme la porte.

5. **Phrase exclamative**

   Que c'est beau!

   J'en ai assez!

Indiquez l'intonation des phrases suivantes.

1. Travaillez-vous?
2. J'irai à la danse avec vous samedi prochain.
3. Je n'aime pas voyager en avion.
4. Vous travaillez bien?
5. Est-ce que vous reviendrez samedi prochain?

CORRIGÉ

Les chiffres dans la marge indiquent les pages

11. 1. Paul lance le ballon. 2. La phrase est constituée de deux groupes. 3. Ils mangent une pomme. 4. La mère Corriveau n'avait pas aimé la conduite des soldats.

12. un, ce - une, sa

13. 1. aucune 2. chaque 3. ces 4. cette 5. tous mes

18. 1. les, mortels, les
2. sera donné, aux

22. 1. lentement: modifie tombait, 2. bien: modifie lentement; lentement: modifie tombait. 3. très: modifie beau 4. trop: modifie a mangé

29. 1. pronom personnel 2. pronom possessif 3. pronom démonstratif 4. pronom relatif 5. pronom interrogatif 6. pronom indéfini

31. 1. de: préposition 2. que: conjonction de subordination 3. puisque: conjonction de subordination 4. de: préposition 5. quoiqu': conjonction de subordination.

35. je: pronom personnel; détruit: verbe; mon: déterminant; légère: adjectif; comme: conjonction; n'...pas: locution adverbiale; et: conjonction; toi-même: pronom personnel; ton: déterminant; à: préposition.

36. 1. Le feu, détruit 2. je, préfère. 3. Les soldats, sont 4. Paul et Louise, dorment 5. Mes devoirs, sont

37. 1. les 2. son billet 3. que 4. les chasseurs 5. ce crayon

38. 1. lui 2. professeur 3. sa mère

39. 1. l'an prochain 2. force, ma vitre 3. cimetière

40. 1. heureux 2. pesant 3. découragé

41. 1. intéressantes 2. intéressant 3. satisfaisants

42. 1. active 2. active 3. Cette cicatrice sera arrangée par le temps.

43. 2. le joueur 3. la lune

44. 1. randonnée: compl. du nom ski
2. son résultat: compl. de l'adjectif fier
3. lait: compl. de l'adjectif plein

45. 1. citoyens: apostrophe 2. l'ami de l'homme: apposition
3. Louis XVI: apposition

47. L'aviateur voit une soucoupe volante.

51. 1. prop. indépendante
2. prop. sub. compl. du nom pluie
3. sub. c ompl. du nom joueur
4. sub. compl. du pronom eux
5. sub. compl. du nom peuple

52. 1. sub. compl. dir. de désire
2. sub. compl. dir. de veux
3. sub. compl. circ. de temps de étudie
4. sub. compl. circ. de temps de joue

54. 1. a) Le professeur sait quelque chose. b) On terminera ce chapitre dans quinze jours. c) Le professeur exige l'attention de tous les élèves.
2. Le nuage gris qui s'élève annonce que la pluie tombera sur les récoltes des paysans.

57. 1. Le père dit à son fils: "Le travail conduit au succès."
2. Le père dit à son fils que le travail conduit au succès.

68. 1. ponctuelle 2. durée 3. vérité

69. 1. présent 2. passé 3. futur 4. futur

70. 1. ponctuel 2. durée 3. habitude

71. 1. énumération d'actions 2. action secondaire - action principale
3. décor 4. action (événement)

72. Riva, s'éveilla, j'ai nagé, je suis retourné, il m'a promis

73. 1. fut finie, 2. aurons terminé 3. avait posé

74. j'embrasserais, je gagnerais

75. 1. un ordre 2. un souhait 3. un souhait 4. un ordre

80. 1. était 2. ont coûté 3. fut 4. partent 5. reviendrez 6. avons gagné

81. 1. prenait 2. pouvait 3. es, devrait 4. travaillent

82. 1. devront 2. fut dispersée 3. sont partis 4. fut donné 5. sont couverts

83. 1. lançais 2. tu manges 3. il paie (paye) 4. je pèle 5. tu aboies 6. tu congèles 7. tu balaies 8. nous nettoyions 9. il se noie 10. ils se noient

84. 1. je jette 2. révèles 3. tu révéleras 4. je me récréerai 5. je résous 6. je résoudrai 7. je te plains 8. il connaît 9. il connaîtrait 10. s'il vous plaît.

85. 1. travaillant 2. hurlant 3. obéissants 4. négligeant, exigeants

86. 1. labourées, ensemencées 2. rendus 3. brisées, réparées 4. fiers 5. enfermés 6. fatigués

87. 1. a fait 2. a faits 3. mérités 4. lu 5. espéré

88. 1. j'ai vus 2. j'ai vu 3. j'ai vus 4. j'ai vus 5. ai vus

89. 1. vu 2. passée 3. vécu 4. achetés 5. pesé

90. 1. dus 2. voulu 3. crues 4. ci-joint 5. incluse

91. 1. vendus: sens passif 2. imposé: le comp. dir. est placé après le verbe 3. nui: ils ont nui à eux. 4. assuré: nous avons assuré des provisions à nous 5. assurés: nous avons assuré nous de cette rumeur

92. 1. fait 2. faits 3. vu 4. plu

93. 1. choux 2. travaux 3. chevaux 4. cailloux 5. sarraus 6. maux 7. pneus 8. sous 9. détails 10. baux

94. 1. grands-pères 2. chefs-d'oeuvre 3. brise-glace 4. casse-tête 5. coupe-légumes

95. 1. Martin 2. Napoléon 3. Champlain 4. Galarneau 5. Napoléons

96. 1. bergère 2. voleuse 3. juive 4. auditrice 5. impératrice

98. 1. une musicienne 2. une artiste 3. une paysanne 4. Gabrielle 5. une tante 6. une artisane 7. une ânesse 8. Marcelle 9. une peintre 10. une héroïne

99. 1. une belle oeuvre 2. complet 3. heureux 4. honnêtes, innocentes, belles, heureux 5. précieux

100. 1. attentifs 2. navals 3. jumeaux 4. finals 5. royaux

101. 1. nu-pieds 2. demie 3. demi-heures 4. nue 5. mi-janvier

102. 1. marron 2. mauves 3. rouges 4. ocre 5. aigres-douces 6. grands-mères 7. canadiennes-françaises 8. derniers-nés

103. 1. quatre-vingt-quatre 2. quatre cents 3. trois cent cinquante milles

104. 1. grande 2. temporelles 3. théâtrales 4. canadienne 5. ambigüe

106. 1. franche 2. antérieure 3. régulière 4. rousse 5. turques

107. grave. Toi, Pipio, petite! songeuse! là.

108. 1. temps, portraits, 2. apprenez, sotte, 3. pipes, bouteilles, fusils, vestes, chemises,

109. 1. chère, 2. neige, glacial, 3. matin, rosée,

110. 1. Élizabeth, ma femme, reviendrai, 2. matin, 3. calotte, Négus,

111. 1. chose: but; religieux, moral.
2. mal ... pas ...

112. 1. toute 2. tout 3. tout 4. tout 5. tout

113. 1. quelques 2. quelque 3. quelles que 4. mêmes 5. même
6. nous-mêmes

114. 1. Nord 2. France, Paris 3. Madame 4. M. Drapeau

115. 1. boul. 2. tél. 3. ~~ect.~~ etc 4. chap. 5. No 6. cie

117. 1. ont 2. où, a 3. à, ou

122. 1. parler 2. chasser 3. gagné 4. acheter 5. travailler

123. 1. parler 2. chasser 3. gagné 4. l'acheter 5. travailler

127 1. populaire 2. familier 3. correct 4. léttéraire

129. 1. pip ʃεz pœr 2. ʒə ʒu o balɔ̃ rakrɔʃe
3. vu zave yn ɔrɑ̃ʒ pɔlikrom

130. C'était avant qu'il ait décidé de régler ses comptes / avec son ennemi personnel, // et le grand Justin / s'en était donné à coeur joie / durant ces trois jours, // lui infligeant, / en toute impunité, / les tourments les plus diaboliques.///

131. 1. Asseyez-vous / sur ce siège / sans bouger.///
2. Louise, / notre championne, // nage très bien / cette année. ///
3. Je vous enverrai une douzaine de roses / pour votre anniversaire. ///

133. 1. descendante 2. ascendante - descendante 3. descendante
4. ascendante 5. descendante (ou) ascendante - descendante

INDEX ALPHABÉTIQUE

Le premier chiffre renvoie aux pages.
Le deuxième chiffre renvoie aux numéros.

Bibliographie des oeuvres citées

Oeuvres québécoises

BENOIT, Jacques, *Jos Carbone*, éditions du jour, Montréal, 1964, 157 p.
BLAIS, Marie-Claire, *Fièvre*, éditions du jour, Montréal, 1945, 195 p.
CARRIER, Roch, *Jolis deuils*, éditions du jour, Montréal, 1964, 157 p.
DUBE, Marcel, *De l'autre côté du mur*, éditions Leméac, Montréal, 1973, 214 p.
GODBOUT, Jacques, *Salut Galarneau!*, éditions du Seuil, Paris, 155 p.
HEBERT, Anne, *Kamouraska*, éditions du Seuil, Paris, 1970, 250 p.
HEBERT, Anne, *les Enfants du Sabbat*, éditions du Seuil, Paris, 1975, 187 p.
LANGEVIN, André, *Poussière sur la ville*, le Cercle du livre de France, Montréal, 1953, 213 p.
LECLERC, Félix, *Allégro*, éditions Fides, Montréal, 1945, 195 p.
MAJOR, André, *le Vent du diable*, éditions du jour, Montréal, 1968, 148 p.
POULIN, Jacques, *le Coeur de la baleine bleue*, éditions du jour, Montréal, 1970, 201 p.
ROY, Gabrielle, *Bonheur d'occasion*, éditions Beauchemin, Montréal, 1967, 345 p.
SAVARD, Félix-Antoine, *Menaud maître-draveur*, Fides, Montréal, 1971, 214 p.
THERIAULT, Yves, *l'Ile introuvable*, éditions du jour, 1971, 172 p.
TREMBLAY, Michel, *Les belles-soeurs*, éditions Leméac, 1972, 156 p.

Oeuvres françaises

BALZAC, Honoré de, *Eugénie Grandet*, Larousse, Paris, 1934, 112 p.
BERNANOS, *Georges, la Joie*, Librairie Plon, Paris, 1965, 244 p.
CORNEILLE, *Horace*, éditions Bordas, Paris, 1962, 128 p.
FOURNIER, Alain, *le Grand Meaulnes*, Société Nouvelle des éditions G.P., Paris, 1963, 211 p.
GIONO, Jean, *le Chant du monde*, Gallimard, Paris, 1934, 278 p.
MALRAUX, André, *l'Espoir*, éditions Gallimard, Paris, 1965, 498 p.
MOLIERE, *les Femmes savantes*, éditions Bordas, Paris, 1962, 128 p.
RACINE, *Iphigénie*, éditions Bordas, France, 1964, 128 p.
SAINT-EXUPERY, Antoine de, *Vol de nuit*, éditions Gallimard, Paris, 1965, 178 p.
SAINT-EXUPERY, Antoine, *Pilote de guerre*, éditions Gallimard, Paris, 1967, 148 p.

Achevé d'imprimer au Canada
Imprimerie Gagné Ltée Louiseville